Sylvain Tesson

Sylvain Tesson a étudié la géographie et pratique l'escalade.

Après *La Chevauchée des steppes* (Robert Laffont, 2001), écrit en collaboration avec Priscilla Telmon, il a publié *L'Axe du loup* (Robert Laffont, 2004), *Éloge de l'énergie vagabonde* (Les Équateurs, 2007) et *Une vie à coucher dehors* (Gallimard, 2009).

Dans les forêts de Sibérie (Gallimard, 2011), récit de son séjour au bord du lac Baïkal, a reçu le Médicis essai 2011.

PETIT TRAITÉ SUR L'IMMENSITÉ DU MONDE

SYLVAIN TESSON

PETIT TRAITÉ
SUR L'IMMENSITÉ
DU MONDE

Éditions des Équateurs

Pocket, une marque d'Univers Poche,
est un éditeur qui s'engage pour la
préservation de son environnement et
qui utilise du papier fabriqué à partir
de bois provenant de forêts gérées de
manière responsable.

© Éditions des Équateurs, 2005.

ISBN : 978-2-266-16759-8

Come, come, come, let us leave,
let us leave the town.

Henry Purcell, *Fairy Queen.*

Je voyais des fées partout.
                              Paul Fort.

À Lei, que je vois partout.

Sommaire

Avant-propos 13

1. Voyager contre le temps 17

2. Corps et âme 27

3. Nouvelles terres 39

4. Le *wanderer* 51

5. Le bonheur d'être en route 61

6. Vivre cul sur la selle 71

7. La vision géographique 77

8. Aux bords de l'humanisme 91

9. Sur les vaisseaux de pierre 103

10. Les forêts du retour 131

11. Les forêts du recours 149

Avant-propos

Les internautes naviguent dans les corridors virtuels du cyberworld, des hordes en rollers transhument dans les couloirs de bus. Des millions de têtes sont traversées par les particules ondulatoires des SMS. Des tribus de vacanciers pareils aux gnous d'Afrique migrent sur les autoroutes vers le soleil, le nouveau dieu !

C'est en vogue : on court, on vaque. On se tatoue, on se mondialise. On se troue de piercings pour avoir l'air tribal. Un touriste s'envoie dans l'espace pour vingt millions de dollars. « Bougez-vous ! » hurle la pub. « À fond la forme ! » On se connecte, on est joignable en permanence. On s'appelle pour faire un jogging. L'État étend le *réseau* de routes : la pieuvre de goudron gagne. Le ciel devient petit : il y a des collisions d'avions.

Pendant que les TGV fusent, les paysans disparaissent. « Tout fout le camp », disent les vieux qui ne comprennent rien. En fait, rien ne fout le camp, ce sont les gens qui ne tiennent plus en place. Mais ce nomadisme-là n'est qu'une danse de Saint-Guy.

C'est la revanche d'Abel. Selon la Bible, Caïn, le paysan, a tué son frère Abel, le berger, d'un coup de pierre à la tête. Ce geste fut à l'origine de l'hostilité entre les cultivateurs et les nomades. Depuis, l'ordre du monde reposait sur la puissance des premiers : la charrue était supérieure au bâton du pâtre. Mais les temps du néo-nomadisme sont arrivés !

Le nomadisme historique, lui, est une malédiction de peuples éleveurs poussant leurs bêtes hors de la nuit des temps et divaguant dans les territoires désolés du monde, à la recherche de pâturages pour leur camp. Ces vrais nomades sont des errants qui rêveraient de s'installer. Il ne faut pas confondre leurs lentes transhumances, inquiètes et tragiques, avec les tarentelles que dansent les néo-agités du XXIe siècle, au rythme des tendances urbaines.

Il est cependant une autre catégorie de nomades. Pour eux, ni tarentelle ni transhumance. Ils ne conduisent pas de troupeaux et n'appartiennent à aucun groupe. Ils se contentent de voyager silencieusement, pour eux-mêmes, parfois en eux-mêmes. On les croise sur les chemins du monde. Ils vont seuls, avec lenteur, sans autre but que celui d'avancer.

Comme le requin que son anatomie condamne à nager perpétuellement, ils vivent en mouvement. Ils ressemblent un peu aux navettes de bois qui courent sans aucun bruit sur la trame des hautes lisses et dont les allées et venues finissent par créer une tapisserie. Eux ils se tissent un destin, pas à pas. Le défilement des kilomètres suffit à donner un sens à leur voyage. Ils n'ont pas de signes de reconnaissance, pas de rites. Impossible de les assimiler à une confrérie : ils n'appartiennent qu'au chemin qu'ils foulent. Ils traversent les pays autant que les époques et, selon les âges, ils ont reçu des noms différents : moines-mendiants, troubadours, voyageurs, *hobos* ou beatniks, ermites des taïgas, cavaliers au long cours, trappeurs ou coureurs des bois, vagabonds, *wanderer* ou *waldganger*, errants ou loups des steppes… Leur unique signe distinctif : ne pas supporter que le soleil, à son lever, parte sans eux.

À Paris, j'écris ces lignes pour saluer leurs ombres qui passent, furtives, sur le tapis du monde. Parmi elles, j'ose reconnaître la mienne et me croire, moi aussi, un baladin du monde occidental.

I

Voyager contre le temps

Une force extérieure m'emporte sur la terre avec la régularité d'un battant d'horloge. Un coup à l'est, un coup à l'ouest : de l'une à l'autre extrémité du continent eurasiatique (c'est là que je situe pour l'instant mon domaine de prédilection, entre le Pacifique et l'Atlantique ; j'attends d'être plus vieux pour le Nouveau Monde). Je me laisse faire, sans résister, parce ce que j'ai détecté dans le voyage aventureux un moyen d'endiguer la course des heures sur la peau de ma vie. Je n'ai pas découvert le secret de l'immortalité, sinon mon corps ne vieillirait pas. Or il change lentement, presque placidement, à la manière des éléphants : j'ai les muscles qui gonflent, le cœur qui ralentit, déjà les dents qui s'usent. Mais je me suis enfin réveillé de ce cauchemar dans lequel le temps s'enfuyait comme s'il avait commis une faute. Grâce à la route, je me suis mis en marche, grâce à la marche, je me maintiens en mouvement et, paradoxalement, c'est quand j'avance, devant moi, que tout s'arrête : le temps et l'obscure inquiétude de ne pas le maîtriser.

Depuis que j'observe les éleveurs de yacks du Tibet, les cavaliers de Mongolie, les bergers afghans ou les sherpas du Khumbu, et depuis que – par périodes – je m'essaie à les imiter, j'en suis venu à la conclusion que le nomadisme est la meilleure réponse à l'échappée du temps. Mon but n'est pas de le rattraper mais de parvenir à lui être indifférent.

En réglant son compte à l'espace, le nomade freine la course des heures. Peu lui importe que passent les instants puisque, obstinément, il les remplit des kilomètres qu'il moissonne. Opération d'alchimiste : il change le sable du sablier en poudre d'escampette. Il brise le cadran de l'horloge et se sert des aiguilles pour piquer sa propre croupe. Le temps n'est pas un cheval dont on peut enrayer l'emballement en lui tirant la bride, il est donc préférable de le laisser galoper et de se venger de sa course en bouffant soi-même le monde. Au tic-tac de l'horloge, le voyageur répond par le martèlement de sa semelle. Un kilomètre abattu, c'est dix minutes gagnées. La marche à pied oppose au rouleau du temps la mesure de l'espace.

De cette lutte, le voyageur sort vainqueur. Qui aura arpenté le monde à l'aide de sa seule énergie explorera une autre dimension du temps : plus épaisse, plus dense. Le temps de l'Occident est un courant d'air qui passe par la fenêtre de nos vies. Il se mue sur le chemin en une pâte généreusement pétrie.

Il y a deux ans, lorsque je cinglais à cheval dans la désolation du désert de Gobi avec la solitude pour compagne, les minutes comptaient pour des heures et les journées des années. Au retour de six mois de chevauchée touranienne ou de huit mois de lutte sur les pistes d'Eurasie, je rentrais avec le sentiment d'avoir vécu une vie entière. En dix années, après quatre voyages au long cours, j'ai connu quatre existences propres. Il m'en faut encore cinq pour arriver à neuf vies et aspirer au repos, vieux chat content de son tableau de chasse.

Partir pour tuer le temps donc, mais ne pas partir n'importe comment. Pour échapper à la course déclinante que nos âmes sur la terre mènent contre la montre, rien ne vaut de se déplacer lentement, pas à pas. Baissons l'allure et le temps lui-même, par un étrange effet d'imitation, ralentira son débit.

Mes voyages préférés sont ceux au cours desquels je me présente à la nature à armes égales, sans moteur, sans pouvoir aller plus vite que mon énergie ne l'autorise. Je revendique l'expression *by fair means*. Les Anglais l'ont forgée pour désigner cette manière naturelle d'escalader les parois sans le recours aux pitons en n'usant que de moyens loyaux : les pieds et les mains. Voyager *by fair means*, c'est aller à cheval, à pied, en canot et même à bicyclette (machine mécanique mais rachetée par l'effort). *Question d'élégance*, me suis-je souvent dit, les pieds couverts de sangsues, égaré dans les boues d'un marécage.

Ce n'est pas par goût de la souffrance que j'use mes semelles mais parce que la lenteur révèle des choses cachées par la vitesse. On ne déshabille pas un paysage en le traversant derrière la vitre d'un train ou d'une auto : on en retiendra au mieux le souvenir d'un fusement, une vapeur d'impression diluée dans l'excès des visions. Le voyageur à pied, lui, peut quitter la route fréquentée pour des sentes mieux traitées par les hommes, c'est-à-dire moins battues. S'il voit une route sabrer une steppe, il prêtera main-forte à la steppe. Rien ne lui plaira autant qu'un horizon fuyant avec résolution ses tentatives pour le rejoindre. En Mongolie, au Kazakhstan, dans les plaines écrasées sous le ciel, cette course-poursuite avec le fond de l'horizon peut durer des jours entiers. Il n'éprouvera pas de satisfaction supérieure à la contemplation du centimètre parcouru sur la carte au terme de l'étape. Il sera si riche de temps qu'il ne craindra pas l'immensité : la patience finit toujours par triompher des kilomètres. A-t-on déjà vu un nomade pressé ? Les nomades vont à petits pas. Pas un seul horizon qui n'ait capitulé devant leur acharnement !

Un jour sur le plateau tibétain vers la sainte capitale de Lhassa, je dépassai un homme qui rampait devant moi. Il portait un tablier de cuir et des patins de bois fixés à ses mains par des lanières en cuir. Un kyste perçait sous la peau de son front à force de toucher le sol à chaque prosternation.

— Tu vas où ?

— À Lhassa.

— Tu fais combien de kilomètres par jour ?

— Six.

— Tu vas mettre combien de temps ?

— Huit mois.

— Pourquoi ne marches-tu pas ?

— Parce que les dieux me reprocheraient d'avoir succombé à la facilité.

Démoralisé, je le quittai. Je me croyais l'un des derniers baladins de l'ancien temps, vagabond céleste, je venais de rencontrer la preuve vivante qu'il y a toujours plus radical que soi.

L'autre raison qui me lie au principe des voyages par « moyens loyaux » est que l'effort prolongé procure au cerveau sa dose d'opiacées naturelles à qui les neurologistes donnent des noms savants et que les marcheurs, au-delà d'une vingtaine d'heures de progression intense, sentent inonder leur cerveau. Impression sous le crâne d'une injection létale et bienfaisante, un peu engourdissante d'abord puis, soudain, rapicolante comme un coup de knout. Ces sécrétions ne suffisent certes pas à nourrir durablement un corps en marche, mais elles sont la récompense de l'épuisement : une bonne petite dose de drogue douce, légale, gratuite, bienfaisante, solitaire, silencieuse et par surcroît auto-produite.

Parfois j'ai trahi les principes du *fair means*. J'ai joué les Judas, enfourché des motos, traversé l'Ukraine, la Poméranie, la Carélie et la Finlande du Sud, l'Ardenne ou les plaines hanséatiques à bord de side-cars russes. Je m'arrêtais le soir dans les forêts pour construire un abri de branches de pins et manger les myrtilles que vendaient les babouchkas sur le bord des chemins.

J'ai roulé sur les bords de la Baltique au milieu de hordes de Hell's Angels finlandais alors que des escadres grises d'oies sauvages, ivres de lumière nordique, escortaient ma moto vers des soleils tardifs. J'ai sillonné le désert du Kyzylkoum au guidon d'une moto ouzbèke dont les phares ne fonctionnaient que si l'on maintenait le klaxon en marche, j'ai roulé au Népal sur des machines chinoises, au Rajasthan le cul sur une Enfield, sur les glaces du Baïkal à bord d'une Oural 16 volts et dans le delta du Mékong sur la même machine.

À chaque fois, le cerveau engourdi par le ronronnement du moteur, les sens anesthésiés par les lignes de fuite, je touchais à l'extase cosmique et m'extasiais de la perfection de la mécanique, cette discipline d'essence divine qui préside – avec des lois identiques – au va-et-vient des pistons en même temps qu'aux ellipses des sphères célestes. Aucun mouvement ne peut se passer d'une énergie pulsative. Dans le bloc-moteur comme dans l'espace, il faut une étincelle pour mettre le monde en ordre de marche. Il n'y a pas de mécanique sans essence divine. Yeah.

Sur la route, je pensai aux princes du vagabondage motorisé. London et Kerouac. L'un grille le dur avec les *hobos*-voyous en mâchant sa haine de l'injustice ; l'autre traverse hystériquement les USA dans un sens puis dans l'autre avec une bande de pauvres cloches allumées qui poussent des cris : « Oh ! oh ! aaaah ! »

Paradoxe que ce vagabondage motorisé car le vrai errant libre et fou se doit de refuser la modernité. Or le moteur à explosion le renvoie à son siècle.

Malgré ces incartades, ma pente naturelle me ramène toujours à l'état de baladin, appréciant seulement les kilomètres quand ils sont gagnés de haute lutte.

2

Corps et âme

Mon corps semble ne jamais vouloir se reposer. Il se conduit comme un enfant jamais rassasié dont il faudrait s'occuper sans cesse. C'est à cause de lui que je garde sur mon bureau une statue de Lénine de trente centimètres qu'on m'a offerte à Tachkent, il y a quelques années. Quand des amis slaves viennent chez moi, ils s'en offusquent avec tristesse et ne comprennent pas pourquoi le cynisme occidental se complaît dans la conservation des horreurs. Je la garde parce que Lénine, sur son lit de mort, a prononcé la plus belle phrase de toute l'histoire, la seule question qui vaille : « Que Faire ? » Quand mon corps me martèle jusqu'à l'obsession ce *mantra* de l'angoisse – « Que Faire ? » – je lui réponds : « Partir ! »

pour le calmer. Partir pour refroidir les chaudières intérieures. En plus de freiner la course des instants, le voyage apaise les constitutions soumises à la pression d'un trop-plein d'énergie. Pour ceux qui craignent de tourner en rond, il y a la solution de s'engouffrer droit devant soi, de se lancer à l'aventure, et de trouver la paix, en battant les chemins.

Les grands voyageurs de l'Histoire, au même titre que le menu fretin cavalant sur les routes et que les dévoreurs d'horizon qui fauchent les étapes comme on bûcheronne une futaie, ne cherchent peut-être qu'à éteindre l'incendie en eux. Alexandre, Marco, Gengis et tous leurs descendants – illustres découvreurs ou pèlerins anonymes – sont les pompiers de leurs âmes en fusion.

Si je ne ressentais pas le besoin de dissoudre l'énergie de mon corps dans le bain acide de l'action, je me satisferais assez bien d'un arbre. Un de ces phares de feuilles en Beauce, ou bien un *pipal* de l'Himalaya sous la jupe duquel s'asseoir les yeux mi-clos, tel le Gautama, le prince des vagabonds. (L'extase qui se lit sur le visage du Bouddha n'est peut-être que l'expression de la félicité du marcheur alangui à l'ombre du houppier. La force de l'Éveil se situerait dans la jouissance du repos : le bouddhisme ou la sieste faite foi…) Natsume Soseki, dans ses odes au vagabondage, décrit l'homme parfait comme un bambou reposant sur les rives de l'Impassibilité, profitant du moindre souffle d'air sans être affecté par lui, jouissant du plus petit parfum de fleur sans en être transformé. Il reçoit toutes les saveurs du monde, mais ne connaît aucune métamorphose. Les événements du monde le traversent sans le faire ployer. Le flux des heures glisse sur lui comme l'eau sur les plumes du colvert : sans le mouiller. Fidèle à l'image de l'impassibilité, saint Augustin prêchait que le bonheur était de « désirer ce que l'on possède déjà » : rien ne vaudrait en somme un chêne sous lequel poser son cul pour l'éternité. Je m'assois quant à moi sur cette pensée mortifère. J'y suis aussi étranger qu'aux charmes de la Jamaïque.

Quand je croise un arbre, au lieu de me lover à son pied, j'y grimpe. Et si je l'avais sous la main, je pendrais bien saint Augustin à la plus haute branche. Puis, je jetterais un coup d'œil au paysage, le sommet d'un arbre est la plus belle hune. D'en haut, je découvrirais un repli de campagne qui me donnerait envie d'aller plus loin car *ailleurs,* selon Morand, *est un mot plus beau que demain.*

S'asseoir sous un arbre, s'enraciner même, est certes une voie possible. Pour celui qui la choisit, c'est la *fin de l'histoire*, l'accès à la sagesse. On repose parmi les glands autour du tronc et l'on gagne l'apaisement. Encore faut-il trouver l'arbre. Je préfère pour l'heure arpenter la forêt. Dans dix ou vingt mille verstes, je repenserai à l'idée de prendre un tronc pour dernier dossier.

L'ennui avec le vitalisme physique lorsqu'il n'est pas canalisé, c'est qu'il ne laisse pas l'esprit en paix. L'énergie déborde des êtres comme les larmes de résine perlent du tronc du pin. Mais elle ne se stocke pas. Il faut donc la consommer sur-le-champ, la frapper sur l'enclume de l'action. Le corps ne devrait jamais être traité autrement que comme un *homo sovieticus* : contraint au rendement. Lui attribuer une tâche dulcifie ses ardeurs. Le marcheur au long cours lui demandera de parvenir au sommet de deux mille mètres de dénivellation, le tailleur de pierre de venir à bout d'un bloc de pierre sauvage, le marin de veiller jusqu'à l'aube, le grimpeur de triompher de deux cents mètres de fissure, le caravanier d'ajouter une journée solitaire à sa moisson d'étapes. Une fois missionné, soumis à la douloureuse discipline de l'action, tendu vers l'objectif désigné, le corps laissera l'esprit tranquille et ne le sollicitera plus. Le tout est de lui donner son ordre de route. L'esprit ainsi libéré pourra alors vaquer sereinement dans les terrains qu'il brûlait de parcourir. Le voyage est cette surface qui est offerte à la pensée pour divaguer en toute liberté.

Mais alors survient un danger : un esprit trop dispos est un bagage encombrant. On ne peut le laisser traîner, vide, derrière soi. Au cours de mes longues heures d'avancée à cheval dans les monts Célestes juste avant l'an 2000, ou bien à pied, plus récemment, dans le Badakhchan afghan, au cœur du N'gari tibétain ou sur les bords orientaux du Changtang, au sud des monts Kun Lun, je me souviens de journées tout entières consacrées à marcher cinquante kilomètres, en solitude, sur un terrain uniforme, sans quitter de l'œil une éminence de terrain dressée à l'horizon, qui me servait de repère mais qui, le soir, ne s'était même pas rapprochée. Dans cette géographie de la désolation (désert, glacis, lande brûlée, plateau raboté par les âges et le vent, *pédiplaine arasée par la déflation,* comme diraient les géographes, ces poètes hermétiques), le voyage s'apparente à la traversée silencieuse d'un plan euclidien qu'aurait négligé de visiter la Vie. Quand on parcourt le néant steppique, où pas un seul pouce de terrain ne diffère de l'autre, il est vital d'alimenter sa pensée, sous peine de virer à la folie, de devenir fou d'ennui !

Péguy, ce pèlerin bizarre qui professait les choses que lui dictaient les rimes, allait « devant lui les mains le long des poches, des champs les plus présents vers les champs les plus proches, sans aucun appareil, sans fatras ni discours, d'un pas toujours égal, sans hâte ni recours ». Je ne comprends pas cet état d'abandon ! L'important n'est-il pas précisément de multiplier les recours intérieurs contre la monotonie ? Quand le corps avance, l'esprit a tout le loisir de se pencher sur le parapet des souvenirs, de se livrer à la contemplation, de réfléchir au monde et de *rêver, peut-être.*

La marche fait affleurer à la surface de la mémoire les strates de souvenirs rangées dans la boîte en os du crâne, cette caisse d'archives, le plus précieux bagage du voyageur. On fouille, on trie ; un éclair soudain et l'on se souvient d'un moment drôle presque oublié et l'on éclate de rire. Un passant nous prendrait pour un fou car il ne saurait pas que rien ne vaut de passer un bon moment avec soi-même, à parcourir les rayonnages de sa bibliothèque intérieure.

Quand l'heure n'est pas au souvenir, il suffit de tourner les yeux vers l'extérieur. Dans la plus aride des steppes, les contemplateurs trouveront toujours à s'émerveiller. Leur œil naturaliste décèlera la plus microscopique trace de vie. Leur âme sera capable de transcender les misérables choses. Léonard de Vinci imaginait la montagne en regardant un caillou. Thoreau entendait Dieu dans le chant du grillon. Van Gogh voyait dans la campagne les lignes de force du paysage. Nerval confondait les rues de Paris avec le labyrinthe de son âme. Fulcanelli savait que le nombre d'or régissait la disposition des pétales autour du pistil autant que la course des sphères. Hugo refusait que le parfum des aubépines fût indifférent aux constellations. Le propre des *voyants* est de ne jamais se satisfaire de ce dont leurs yeux se contentent. Ils traquent l'universel en fouillant l'anecdotique. C'est le principe de la métonymie appliqué à l'observation. Un voyageur doit être capable de glisser du brin d'herbe au cosmos et d'imaginer des planisphères dans les nuages qui passent au-dessus de sa tête. Si un grain de sable suffit à lui contenter l'esprit, son bonheur sera immense d'être jeté dans l'erg !

Mais la capacité d'émerveillement varie injustement selon les êtres. Les prisonniers qui savent se repaître de la beauté du lichen, de l'ingéniosité de l'argiope ou, comme Soljenitsyne, du chant d'un oiseau sur le rebord d'une lucarne supporteront mieux l'isolement (lisez dans Chalamov les pages sur l'incarcération, vous lui saurez gré de ce qu'il y raconte si un jour on vous enferme !). Aurait-il survécu à la camisole, le vagabond des étoiles de London, s'il ne s'était pas jeté passionnément dans l'étude des mouches qui se repaissaient de ses larmes ? Ouvrir les yeux est un antidote au désespoir.

le marais, Apollinaire en altitude, Shakespeare dans la tempête, Norge quand je suis saoul. Et le soir, à la halte, j'arrache de mon cahier de poésie la page qui m'a nourri tout le jour et construis avec elle un petit feu auquel je récite le poème appris. Manière charmante de clore la journée.

Je passe sous silence la prière qui aide aussi le voyageur à meubler les lentes heures. Elle agit comme un dérivatif pour les nerfs trop aiguisés.

Scandez un verset jusqu'à l'obsession : vous oublierez vos ampoules. Le pèlerin russe de 1870, promoteur de la philocalie, ne fait rien d'autre lorsqu'il traverse les taïgas à pied, marmonnant continuellement cette incantation : « Seigneur Jésus-Christ, ayez pitié de moi. » L'idéal est d'accorder la scansion à la foulée et de réussir à faire tomber le début de l'antienne avec le pas. On marche alors comme on respire. Pour ma part je n'use de la prière que lorsque je connais la peur. Devant l'ours ou au milieu de la paroi, lorsque les prises se ferment sous les doigts, au-dessus d'un piton branlant, j'ai des retours de foi amenés par le ressac de l'adrénaline.

J'entre en religion comme les lâches : à la moindre trouille. Quand l'eau monte, je me prends à croire au navire.

Prière, observation, contemplation, récitation, souvenir : stratagèmes de marcheur au long cours pour échapper à l'angoisse de se sentir une tête d'épingle perdue dans la morne immensité du monde.

3

Nouvelles terres

C'est pour contempler le monde, boire à sa coupe et m'en gorger que je le sillonne. « Voyageur, je rafle ce que je peux », écrit Goethe. Le voyage est un rezzou lancé sur le monde extérieur par le voyageur, ce prédateur en chasse qui revient un jour chez lui, lourd de butins. Un voyageur digne de ce nom ne peut s'intéresser à lui-même et cherche hors de soi matière à l'émerveillement. Pourquoi partir si c'est pour faire le tour de soi ? La mosaïque du monde est riche de tant de carrés, comment perdre du temps sur son misérable tas de secrets intérieurs ? Il y a trop d'agitation le long du chemin, trop de nuances sur les visages, trop de grandeur drapée dans le pli des versants pour qu'on garde les yeux en dedans de soi. Celui qui choisit la route comme ligne de vie doit préférer regarder la lumière par la fenêtre plutôt que l'obscurité au fond de son puits. Je ne comprends pas les voyageurs qui usent du monde comme d'un divan, et infligent à la route l'insulte d'en faire la thérapeute de leurs névroses.

Combien de jeunes filles anglaises (celles dont Michaux disait qu'elles sentaient le caoutchouc parce que tous les soirs, elles se rentraient dans leurs étuis à parapluie) errent-elles dans les ashrams indiens, accrochées à l'illusion qu'elles guériront dans les vapeurs des panthéons hindous leur vague à l'âme d'Occidentales ? Le voyageur sait bien que si la route aide à s'alléger de tous ses biens, elle ne débarrasse pas de ses maux. Elle procurera tout au plus aux neurasthénies des décors différents. Il n'est pas niable cependant que le *grand dehors* fasse du bien (« il guérit », dit même Stevenson) mais le vagabond se laisse fortifier plus qu'il ne cherche à se soigner. Les embruns du voyage lui vivifient l'âme et lui revigorent le corps, pour le psychisme, peu lui importe, il n'en a pas.

Hélas pour les voyageurs, un drame se profile au seuil du XXIe siècle. Car la féerie du réel, qui attire les âmes curieuses et justifie qu'on se jette au cœur du monde, s'affadit.

Valéry en 1931 (dès 1931 !) fait des calembours sur le sujet : « Toute la terre habitable a été reconnue, relevée, partagée entre les nations. L'ère des terrains vagues, des territoires libres, des lieux qui ne sont à personne est close. Le temps du monde fini commence. » S'il a raison, où la soif d'émerveillement s'étanchera-t-elle ? Où se gorgeront les voyageurs si le « divers décroît » comme le déplorait Segalen encore plus tôt (avant 1914) ? Que le divers décroisse est affligeant car la harpe du monde ne peut pas vibrer sur une seule corde. Le vitrail de la réalité exige des millions de facettes. Or trois espèces animales ou végétales disparaissent chaque jour et dans cent ans ce seront mille deux cents oiseaux qui seront perdus. Les forêts pluviales grouillent d'êtres vivants qui s'éteindront avant même d'être portés à notre connaissance.

La jacinthe d'eau s'est déjà proclamée « espèce unique » sur certains plans d'eau. Et le spectre de l'uniformité ne rôde pas seulement autour des bêtes et plantes. Les hommes, leurs idées, leurs aspirations, leurs dieux et leurs œuvres sont menacés par la civilisation du Même. Un Papou converti au christianisme, c'est un dieu coutumier qui ne sera plus prié, c'est donc un pas de plus vers l'unicité et c'est un drame aussi grave que l'extermination du *dodo* par les marins portugais du XVIIe qui poussèrent l'infamie jusqu'à affubler leur victime du nom qu'ils méritaient eux-mêmes (*doudo* veut dire « abruti » en portugais). .

Le voyageur ne peut concevoir un monde ressemblant à ces sapinières industrielles scandinaves où toute vie organique est étouffée au pied d'un arbre unique sous la couche des aiguilles. Il rêve au contraire que l'univers conserve le visage de ces forêts *semper virens* où un seul hectare recèle cent cinquante espèces d'arbres distinctes luttant pour la lumière dans la joyeuse violence du divers.

Le *divers décroît* donc. Triste tropisme. Mais il y a pourtant une lueur d'espoir. Car il reste, disséminées çà et là, de larges *terrae incognitae* sur le continent de la connaissance. Il faut les chercher. Pour celui qui les déniche, elles sont le remède à l'accablement, la seule manière de faire mentir Segalen. Livingstone qui avait la chance de vivre à l'époque où il y avait la même proportion sur les pages d'atlas de surfaces cartographiées que de taches blanches aimait répéter qu'à la vue de la moindre d'entre elles, il avait envie de s'y précipiter pour l'effacer. La tache blanche – ce trou noir de la carte – était aux découvreurs des époques héroïques ce que le fanal est au bombyx. Aujourd'hui, le discours commun tend à répéter qu'à l'aube du XXIe siècle il n'y a plus rien à connaître du monde, et que le temps est révolu où les géographes vivaient dans l'appétit.

Les pessimistes pensent que le balayage de la terre par l'œil des satellites suffit à en faire disparaître le mystère. C'est oublier un peu vite que la lentille du télescope ne dévoile que l'écume des choses : un regard est une caresse ; il effleure sans comprendre, il passe sans fouiller, il glisse sur l'essentiel. Aucun programme de reconnaissance satellite ne vaudra une expédition de pénétration à pied dans un parage méconnu. Sur l'île de Florès, dont on possède pourtant une couverture cartographique satellite intégrale, à la fin de l'année 2004, les chercheurs ont découvert (au moment même où parvenaient aux oreilles terriennes le souffle de Titan que les membres de l'Agence spatiale écoutaient recueillis comme s'il s'était agi de la respiration d'un dieu) un squelette qui prouve l'existence d'une espèce d'homme naine inconnue jusqu'alors. Les dents, la forme du crâne, les signes de bipédie n'y trompent pas : le petit être de Florès, âgé de dix-huit mille ans, appartient bien au genre *Homo* (*homo* dont le squelette découvert est celui d'une femme, ce qui prouve que même la paléontologie se soumet à l'infâme loi salique).

Le *hobbit* de Florès (ses inventeurs tolkieniens l'ont surnommé ainsi) prouve que les entrailles de la terre n'ont pas révélé tous leurs secrets et qu'on a tort de poser sur le planisphère un regard blasé.

Paradoxalement, plus les techniques scientifiques s'améliorent et plus le champ de l'ignorance s'accroît ; principe de la lampe qui fouille les ténèbres d'un couloir et qui, plutôt que de les dissiper, en repousse la profondeur. Plus la science progresse et plus la lisière de la connaissance s'éloigne. Ainsi, de nouveaux champs de recherches surgissent au fur et à mesure que des outils naissent pour les explorer. De même que la fonction fait l'organe, l'outil fait la discipline : le télescope développe la cosmologie et le nano-robot ouvre l'exploration des vaisseaux sanguins.

L'immensité sidérale, les profondeurs sous-marines, les entrailles souterraines sont des mondes qui ne nous sont aujourd'hui pas beaucoup plus connus que le ventre de l'Afrique au temps de Stanley. La différence tient dans le fait que *le silence de ces espaces infinis* n'effraie plus personne. Tout juste provoque-t-il la soif de les défricher. Les spéléologues, les océanographes et les spationautes disposent aujourd'hui des techniques pour le faire. Ces trois domaines méconnus ont en commun d'être des espaces obscurs où la lumière du jour ne rentrera jamais et que le flambeau de l'explorateur commence tout juste d'éclairer. Ces taches blanches mériteraient donc le nom de *taches noires*. C'est au recreux de leurs ténèbres que sont les émerveillements de demain et les futurs terrains d'action.

Le discours des spationautes – retour de missions – renvoie aux enthousiasmes des grandes découvertes, lorsque les continents n'avaient pas de noms parce que, comme pour les enfants des rues, personne ne les avait reconnus. Il y transpire la même excitation que dans les récits des capitaines d'Henri le Navigateur lorsqu'ils appareillaient dans les ports de l'Algarve. On y reconnaît la fébrilité qui prélude aux conquêtes. L'impatience devant le vierge. Une différence cependant : sur le pont des galions régnait l'effroi, dans les voiles soufflait l'épouvante.

Les journaux de bord des marins portugais regorgent des supputations cauchemardesques sur ce qu'ils risquaient de trouver au-delà des horizons : la mer qui bout, les tarasques gobant les navires et les parapets du monde s'effondrant sur le néant. Les cosmonautes, eux, envoient des sondes tâter le vide sidéral avant de s'y lancer. Principe de précaution.

Le vagabond romantique a peu de chances de se lancer dans l'espace dans les années qui viennent. Trop tôt. Trop cher. Demain, peut-être. Il faut rêver qu'un jour il y ait des *Knulp* en apesanteur, ouvrant la voie à des hordes d'errants galactiques. À défaut de vide stellaire, l'aventurier ou le poète peuvent quand même conquérir une part d'inconnu et prétendre à l'exploration. Ils ont le recours de se risquer dans un nouveau genre d'espaces auxquels les géographes donnent le nom de

« taches grises » : ce sont ces parcelles du monde interdites d'accès par un État policier. Dans ces régions scellées par des plombs administratifs, la dictature prend le relais de la nature en barrant le passage. Les murailles que lève l'administration sont les plus résistantes. Mises sous cloches, ces zones retournent à l'inconnu. Et redeviennent enjeux d'exploration.

Entre autres lieux, les chercheurs de taches grises lorgnent sur le Changtang tibétain, ce plateau inhospitalier étiré au sud du massif des Kun Lun. Espace situé à cinq mille mètres d'altitude. Vents furieux. Végétation rase. Substrat stérile. Marais nombreux. Hiver sans fin. Le Changtang réunit les conditions idéales pour les cœurs aventureux désireux d'en découdre. Personne ne s'y risque pourtant. À peine quelques pionniers au siècle dernier et de rares voyageurs qui en effleurent les flancs aujourd'hui. La raison tient dans le fait que les Chinois régentent les lieux et ont fait de la zone une réserve naturelle interdite d'accès : moyen de donner à l'oukase un alibi écologique. La tache grise : espoir des explorateurs du IIIᵉ millénaire.

Il y a un autre royaume de l'inconnu plus alléchant encore que les taches blanches, noires ou grises. Celui du Mystère. La part d'inexpliqué contenue dans le monde. Ce que l'œil ne voit mais que le mythe dévoile. Pour y accéder il faut pousser le soupirail dans le laboratoire de la connaissance. On se retrouve alors dans un univers où le fantastique tient lieu de réalité, où les frontières indéfinies et les énigmes non résolues promettent d'extraordinaires voyages. Même les mondes que survolent les dragons sortis des pipes d'opium ne valent pas les chimères produites par la géographie de l'imaginaire.

Le yéti dont la seule évocation fait se gausser les gens sérieux (ceux à qui les certitudes tiennent lieu de vérité) est la créature préférée des chercheurs de merveilleux. L'emblème des rêveurs. Les hommes prudents, les poètes, les observateurs attentifs, qui se souviennent que le léopard des neiges n'a été photographié que dans les années 50 et le cœlacanthe découvert peu après, ne rejettent pas l'hypothèse qu'une espèce anthropoïde soit passée par les mailles du filet darwinien et ait échappé au regard des scientifiques. L'existence du mythe de la créature est, quant à elle, incontestable. De la Birmanie au Caucase, le long du bourrelet montagneux de l'Eurasie, les peuples himalayens colportent, de siècle en siècle, des histoires sur la bête, affublée d'un nom différent selon les vallées. Le yéti, c'est comme pour les Pyrénées : *migou* d'un côté, *tedmo* en deçà.

L'*opinio communis* réduit la croyance au yéti à un besoin de merveilleux propre à l'homme, une nécessité impérieuse de connaître notre cousin manquant, ce demi-frère qui n'est plus tout à fait un singe mais pas encore *sapiens*. Ou bien le yéti est assimilé à un de ces héros de fables animalières qui encombrent les textes indo-bouddhistes et alimentent les veillées des peuples anciens. Les Tibétains auraient leur *yéti*, comme les Bretons leurs fées et les Arabes les *djinns*. Du revers de la main est ainsi chassée l'hypothèse que les légendes prennent parfois corps.

Par surcroît, le yéti dispose d'une qualité qui devrait achever de le rendre sympathique aux yeux même des sceptiques. Il est le dernier être totalement libre de la planète avec les gargouilles des cathédrales. Nulle part enregistré, ni recensé, n'appartenant à aucun phylum, apatride, nomade, invisible, citoyen des âges anciens. Et qui n'a pas intérêt à sortir de son anonymat. Car on vit sans doute mieux dans les ténèbres de la nuit des temps qu'à la vue des Hommes.

4

Le *wanderer*

Les vagabonds romantiques allemands cultivaient à la fin du XIXᵉ siècle une certaine manière de voyager. Ils traversaient l'Europe à pied avec l'insouciance de ceux qui ne savent pas le matin dans quelle grange ils dormiront le soir mais s'en contrefoutent. Il leur suffisait de se sentir en mouvement, environnés de la beauté des campagnes, avec l'âme ouverte à tous les vents. J'aimerais réhabiliter cette façon de traverser l'existence, en liberté, avec une plume au chapeau, un brin d'herbe entre les dents et des poèmes aux lèvres.

Pour bien vagabonder, il faut peu de choses : un terrain propice et un état d'esprit juste, mélange d'humeur joyeuse et de détestation envers l'ordre établi. Le terrain le plus propice se trouve dans une nature douce : les terroirs tempérés de la Mittle Europa conviennent entre tous, là où s'entremêlent bocages et forêts sombres. Ainsi le vagabond selon que son âme caracole sur le versant obscur ou lumineux de son être balancera de la clairière brumeuse aux chaumes tièdes. L'essentiel pour bien vagabonder est de ne pas le faire dans une nature hostile car la nécessité de survivre aux embûches convoquerait toute l'énergie et ne laisserait au vagabond aucune jouissance de son état de liberté.

Il n'y a pas deux ans, je m'en fus tout droit de la Sibérie vers l'Inde. Pendant les semaines au cours desquelles je marchais sur les bords de la rivière Léna, il me sembla toucher à la liberté extrême, à l'essence du vagabondage romantique. Je ne poursuivais pas d'autre but que d'avancer chaque jour plus loin. Les gens que je rencontrais savaient que je ne resterais pas longtemps parmi eux. Ils me prodiguaient une générosité d'autant plus empressée que provisoire. J'allais à travers un pays forestier et puissant. Aucune de ces barrières urbaines, excréments de la prospérité, ni aucun nuage de pollution, ombre du progrès, n'entravait la

profondeur de mon champ de vision. Je gueu-
lais dans le vent des poèmes que personne
n'entendait. Je parlais seul, unique façon de ne
jamais être interrompu et toujours compris.
L'oignon sauvage trouvé à l'orée des ripisylves
trompait ma faim jusqu'à la halte où j'avalais
un de ces repas vagabonds décrits dans les
romans de Hesse, Hamsun ou Traven : un pâté
de lapin, une miche de pain et une bouteille de
cidre (qu'on remplacera par du kvass en Russie).

Cette façon de voyager sans feu ni lieu n'a
plus cours. Elle a atteint son paroxysme il y a
cent ans. La révolution industrielle, sa laideur,
sa violence, avait jeté sur les chemins des hères
qui refusaient de se passer des deux carrés
nécessaires à la survie de l'Homme : un carré
d'herbe pour reposer le corps et un carré de
ciel pour reposer les yeux. Ceux qui plus tard
noueront un baluchon à leur bâton : *hobos*,
hippies, beatniks, punks, transcendantalistes
emersoniens, chemineaux, pèlerins jacquai-
res, peuvent se proclamer héritiers des errants
romantiques à une nuance près. Contraire-
ment à eux, le vagabond éternel n'appartient
pas à son époque ni n'a derrière la tête l'ombre

d'une pensée politique ni celle d'une revendication. Le vagabond enjambe l'idéologie et les clôtures qui toutes deux empêchent de gambader. Il ne veut en rien changer le monde qui l'entoure, il veut réussir à le fuir le plus esthétiquement possible. Il ne veut pas se battre, il s'échappe. Il n'est pas en croisade, il est en croisière. Il n'appartient à aucun groupe, il lui suffit d'un chien fidèle ou d'un oiseau apprivoisé pour se sentir en compagnie. Il va à l'aventure car il veut que chaque jour soit un jaillissement d'imprévus. Quelque chose doit le mettre sans cesse sur les bords de l'abîme. Il voyage à la recherche des parapets du monde. Dans la tension de l'effort (la discipline du vagabond), il trouve la paix intérieure, se débarrasse de toute fausseté, revient à l'élémentaire, et devient capable de pleurer de joie devant une vasque argileuse d'où sourd un filet d'eau claire. Son âme se simplifie : son voyage est une épuration éthique.

Le vagabond évite tout ce qui risquerait d'enlaidir sa vie. Comme le faisaient les Celtes, il évite les êtres difformes, et rejette les situations conflictuelles, persuadé que la vilenie de l'âme s'exprime dans la laideur extérieure. Au moindre nuage menaçant son esthétique de vie, il prend la tangente. N'avoir qu'un bâton et un chapeau à plume permet de tourner les talons si le climat se gâte, de changer de village, de quitter ses hôtes et de pousser l'exploration un peu plus loin jusqu'à la jolie clairière. Traquer la beauté partout où elle se cache lui tient lieu d'objectif.

S'il fallait identifier le vagabond à une figure littéraire, il ressemblerait à l'Anarque, ce héros contemplatif de Jünger qui regarde le monde depuis sa haute loge sans jamais s'y salir. Mais un Anarque qui aurait préféré la poussière de la piste au *marbre des falaises*. Un Anarque en marche. Un artisan de l'anart de vivre, un sage, à mi-route entre Montaigne et Peer Gynt, caracolant sur les chemins de la liberté.

« Je m'accoutumai à vivre sur la route », écrivit Goethe plusieurs années avant son voyage en Italie, « allant et venant, comme un messager entre la montagne et le plat pays ». Le jeune poète qui n'apaise les brûlures de son feu intérieur que dans la poussière des routes sera surnommé par ses amis le *wanderer*, mot allemand qu'on est embarrassé de traduire en français. Il s'agit de quelque chose entre le voyageur classique à l'affût des merveilles du monde et l'errant libre de toute entrave. C'est à la figure du *wanderer* que je pense souvent en battant mes chemins.

Seuls peuvent vivre comme le vrai *wanderer* ceux que nul lien n'attache, capables de répondre à l'appel du dehors sans accorder un regard à ce qu'ils abandonnent. Il ne s'agit pas de savoir couper les amarres mais plutôt de ne pas en avoir. Le dernier homme digne de la figure du vagabond romantique que j'ai rencontré était afghan. Jusqu'à l'année 2002, Amanullah K. commandait à la frontière afghano-pakistanaise une poignée d'hommes chargés de surveiller les trafiquants d'armes et de drogues, c'est-à-dire d'empocher les produits saisis. La rencontre se passait juste après la défaite des islamistes du Sud (talibans) chassés du pays par les islamistes du Nord (massoudiens). Mêmes barbes et mêmes armes pour les uns et pour les autres. Armés jusqu'aux dents qu'ils exhibaient dans des sourires carnassiers, ils avaient des yeux de Christ, ils racontaient avec des voix très douces les horreurs de la guerre et ils étaient heureux car l'influence du pouvoir officiel de Kaboul ne parvenait pas jusqu'à eux. Leur chef, Amanullah, apprenant que nous partions dans les montagnes du Nord, se déclara prêt à nous accompagner, laissa ses hommes et nous suivit un mois entier sans passer prendre chez lui une chemise. Eût-il lu Goethe que nous l'aurions appelé *wanderer*-khan !

En leur temps, douze apôtres sur la côte orientale de la Méditerranée se sont un jour, eux aussi, mis debout, ont laissé en plan ce qu'ils étaient en train de faire, et pris la piste pour le restant de leurs jours. Seraient-ils de romantiques vagabonds, les compagnons de Christ ? Des *wanderers* d'Orient ? Non, ils ne suivaient pas leur seul instinct poétique, mais se rangeaient derrière un jeune anarchiste palestinien, attirant comme le soleil et qui voulait se livrer à la plus détestable occupation : changer le monde.

La gaieté du vagabond est sa meilleure nourriture. Elle n'est pas précisément de la liesse. Elle évoque plutôt un appétit adolescent doublé d'une ironie légère devant la vie, *cette vaste entreprise à se foutre du monde*. Les cinq clochards célestes avec qui j'ai récemment traversé à pied le sud du Tibet, d'Amdo à Lhassa, sur les hauts plateaux, ne se déparaient jamais d'une expression de félicité. Il eût été assez facile de la prendre pour de la béatitude primaire.

Ces cinq moines-mendiants avaient quitté leur monastère pour gagner la sainte capitale. Ils vivaient en riant, marchaient en dansant, méprisaient le lendemain. De l'avenir, ils faisaient table rase, se contentant du seul plaisir du moment. Pendant quinze jours, ils m'entourèrent d'une affection de chiots et ne se plaignirent jamais de la neige ni de la faim. Leur âme avait réussi à oublier qu'elle habitait un corps. Leur force vitale, leur santé, leur jeunesse sans âge leur en donnaient les moyens. Ces religieux de roc étaient sculptés dans l'antimoine. J'aurais aimé leur ressembler, à eux ou bien à cet Afghan de la vallée du Panshir, interrogé par Christophe de Ponfilly dans son film *Massoud*, qui éclate de rire en expliquant que sa ferme a été rayée de la surface de la terre pendant la guerre ou bien encore à cette femme du Laos qui m'accueillit un jour chez elle et manqua de s'étrangler de joie lorsque sa bicoque s'écroula sous le poids de l'assemblée. Qui n'est pas capable d'applaudir des deux mains à l'effondrement de son bien n'est pas totalement mûr pour le vagabondage.

Je ne connais pas encore cette félicité perpétuelle et absolue. Trop d'ombres encore au cœur, trop de nuages au front. Mais je pratique une autre discipline : l'oscillation permanente d'un jour, d'une minute à l'autre, entre le pessimisme intérieur et l'optimisme de façade. Mon âme, à la manière des herbes qui couronnent les cols et flottent selon les jours d'un côté de l'ensellement ou de l'autre, penche vers l'ubac (le versant du nord) pour la pensée et vers l'adret (le versant du soleil) pour l'action, pleine d'énergie et de santé quand il s'agit de courir le monde, terrassée par la peine quand il faut l'observer.

5

Le bonheur d'être en route

Quelle que soit la direction prise, marcher conduit à l'essentiel. Épouser l'existence du *wanderer* (même par intermittence) invite à consacrer toutes ses forces à assouvir des besoins élémentaires. Se nourrir, s'abreuver, s'orienter, se garder du chaud, se garder du froid, trouver un gîte, se prémunir des fauves sont des préoccupations oubliées par les foules civilisées occupées à goûter la paix du soir dans la douce atmosphère du petit cap européen (cependant, disent certains oiseaux de mauvais augure, que la nuit alentour avance à grands pas, mais c'est une autre histoire). Seule la pratique de la piste rappelle l'importance de ces questions. Pour le *wanderer* solitaire, elles deviennent même une obsession, teintée d'excitation. Il y a une jouissance à obéir aux contraintes imposées par le voyage et le vagabond est heureux de se soumettre à la discipline de son vagabondage. Sans hésitation, il accepte les injonctions du corps : l'obligation de gagner la halte avant la nuit, ou la nécessité de trouver la meilleure pâture pour sa bête, ou encore l'impératif de ne pas s'arrêter avant le soixantième kilomètre abattu... Il aime concentrer toute sa force d'action à satisfaire un seul objectif.

Sur les plateaux arides de la haute Asie, il m'est arrivé de n'avoir rien d'autre en tête pendant un jour entier que l'envie d'étancher ma soif. Je me consacrai alors corps et âme à trouver un puits. J'avais la piste, j'avais un but, rien d'autre. Et j'allais ainsi à travers le pays, le mors aux dents, lancé comme une flèche vers un objectif unique (l'eau), les muscles en fusion, accédant à une tension de tout l'être. J'aime voyager fébrilement, les sens aux aguets, aiguisés pour ne pas rater la moindre parcelle du spectacle qui défile. On m'oppose souvent la supériorité des errances sans but sur les voyages menés vers une cible à atteindre. Mais j'ai toujours préféré la nervosité clairvoyante de *l'homme pressé* (au sens de l'homme en marche) à la nonchalance du sage chinois.

Conséquence logique de ce désir de tension : je n'aime pas trop les haltes dans les délices de Capoue, les séjours sédentaires et paresseux dans les villes. Les taillis des grands bois offrent de meilleures délices. Sitôt rassasié de plaisirs, je veux retrouver l'air rapicolant : celui du *grand dehors* selon Stevenson qui est seul digne de la *grande santé* selon Nietzsche ! À fréquenter des stations trop accueillantes, je suis condamné à l'insatisfaction car j'ai le ventre trop vide en y arrivant et le ventre trop plein en les quittant. J'oscille de l'inanition à l'écœurement. Le juste milieu n'existe pas pour les errants. Et peu importe qu'il n'existe pas car le vagabond ne fait pas grand cas de son bien-être. Il n'écoute pas trop l'écho de ses douleurs. Comme les Mongols, ces fils du vent, il pense que *la terre est dure et le ciel lointain*, mais il apprécie que la première lui serve de paillasse et le second d'auvent. Il est prêt à leur sacrifier ses articulations. Le Knulp de Hesse préfère errer dans les forêts jusqu'à la mort au lieu de finir paisiblement ses jours dans la tiédeur de l'hôpital. Une fois à l'agonie, adossé au tronc de sapin sous la neige, il reçoit la visite de Dieu qui le réconforte : il a eu raison de négliger les suppliques de son corps usé et de mener envers et contre tous cette vie libre par les plus vastes vaux et les monts les plus hauts ! J'aimerais atteindre l'extinction totale de la pitié envers moi-même. T.E. Lawrence a pu fomenter la révolte arabe grâce à son mépris du corps. Il cuisait les plaintes de sa carcasse dans « la brûlure purificatrice de l'action ». Une fois son corps rendu à l'état de loque, il le relevait brutalement, le remettait en selle et cravachait sa bête pour un nouveau rezzou.

Le vagabond ne peut se permettre trop d'égards envers lui-même. L'amour de soi, comme l'excès de loukoums, est une entrave à l'action.

Paradoxalement, pousser la résistance dans ses retranchements, ne pas prendre garde aux signaux d'alerte de son corps lave l'organisme. La marche forcée agit comme l'alambic, fait circuler le sang et dissout les poisons. En Sibérie, après des nuits de vodka, je me nettoyais avec quarante ou cinquante kilomètres de marche quotidiens. D'ailleurs, je n'emporte jamais la moindre pharmacie dans l'immensité du monde.

Les gens imaginent que l'errant va le nez au vent. Pourtant c'est avec rigueur qu'il trace sa route. Il faut de la discipline pour ne pas céder à l'envie d'une halte. Il faut de la méthode pour gagner le rythme nomade, cette cadence nécessaire à l'avancée et qui aide le marcheur à oublier sa lenteur. Lors de mes traversées transcontinentales, je m'efforçais ainsi de tenir un décompte très précis de mon kilométrage, de ne jamais prendre de repos plus long que ce que je m'étais accordé préalablement, de ne pas marcher moins que ce que j'avais prévu, de disposer toujours de la même façon mes effets au bivouac, de réciter dans le même ordre ma cargaison de poèmes... Minuscules stratagèmes qui constituent la Règle monastique du voyageur. Voyager, ce n'est pas choisir les ordres, c'est faire entrer l'ordre en soi.

La vie vagabonde – ce rassemblement d'énergie tendue vers *un seul* but – réserve au *wanderer* un autre type de plaisir, situé, lui aussi, sur le mode réductionniste et qui consiste à n'avoir pas d'autres obstacles devant soi que ceux dressés par les éléments. Pas d'autres luttes à mener que contre les reliefs ou les humeurs du ciel. « Je ferai la bataille, je passerai les fleuves », rêvait la Jeanne de Péguy avant de s'en aller à l'ennemi. « Je ferai la bataille aux fleuves et aux plaines », répond le vagabond. Les embûches au-devant desquelles il se porte de plein gré sont les cols, les marais, les gués profonds, les pierriers, les tempêtes. Ce sont les forces bureaucratiques de la Nature, disposées ça et là pour compliquer le passage. Seules herses qui vaillent d'être affrontées. Les autres barrières, celles dressées par les hommes – les frontières fermées par exemple –, sont à fuir. Elles sont les métastases de l'Administration, cette gorgone inventée pour servir les hommes mais qui s'est retournée contre eux.

Tous ces bonheurs que le *wanderer* rafle dans sa course, il les concentre, le soir, sur la page de son cahier. C'est la promesse de ce rendez-vous vespéral avec une page vierge qui l'incite, le jour durant, à mieux faire provision de ce qui l'entoure. Pour le marcheur au long cours, l'écriture est le plus intense moment d'apaisement. Le point d'orgue posé sur la portée du jour. Les muscles se reposent sur le cahier. L'esprit se réfugie dans l'agréable fouille de la mémoire. En écrivant, le soir, le voyageur continue sa route sur une autre surface, il prolonge son avancée sur le plan de la page. Tout comme lorsqu'il abat les kilomètres pas à pas, il trace son sillon ligne à ligne. Ses yeux suivent la course de sa plume comme ils fixeraient le sillage d'un bateau. Dans la même solitude, il va sur son terrain d'aventure le jour, et sur son terrain d'écriture le soir. Le rituel est toujours le même quand la nuit vient : s'arrêter sous la yourte, sous l'isba ou dans la cabane en bambous, bref, là où s'ouvre une porte. Demander une bougie.

Ouvrir son cahier en papier de riz (économie de poids) couvert d'une écriture très fine (économie d'espace) et de phrases très brèves (économie de style). Écrire longuement sous l'œil des hôtes silencieux (économie de mots) qui contemplent la fixation en temps réel sur la page blanche des événements et des émois du jour. Au sujet de l'économie de style, toujours se souvenir de la sobriété avec laquelle écrivaient les marchands de la soie, les marins portugais ou les explorateurs arabes quand ils rendaient compte de leurs tribulations à leurs princes. Cinq ou six mois de marche et de lutte dans les vallées les plus reculées du Cachemire étaient ainsi décrits par des Jésuites portugais : « De la vallée de l'Indus au N'gari tibétain à travers une région inconnue : rien de significatif à rapporter à Sa Majesté. »

Le noircissement de mes cahiers a toujours fasciné ceux de mes hôtes qui appartenaient à des peuples nomades sans tradition écrite : beaucoup ne verront plus jamais dans leur vie tant de mots jetés sur un papier d'un seul coup. Lors de mes premiers voyages, l'écriture du soir était une corvée à laquelle je m'astreignais parce que j'avais compris que c'eût été accorder trop de confiance à ma mémoire que de se passer de notes. La besogne forcée est devenue discipline puis un plaisir et finalement un besoin.

Pour la paix du soir, au côté de mon cahier de riz, je dispose d'une flûte à bec. En plastique, de petit format, noire, imputrescible ; je ne m'en sépare jamais. J'en ai joué partout. Sur des remparts, dans les postes de flic, les souterrains de calcaire, à la proue d'un navire où nageaient les dauphins de Majorque, devant mes chevaux, sous des arcs brisés, sous d'autres, ogivaux, dans une mosquée ouzbèke... Je joue des airs irlandais pour la gaieté, des airs russes pour la mélancolie, des airs classiques pour l'agilité des doigts. Le cahier de riz et la flûte à bec sont avec le bâton de pin et le chapeau à plume les quatre seules choses indispensables à la vie dans les bois.

6

Vivre cul sur la selle

La marche à pied transforme l'errant mais moins que le voyage à cheval. Le voyageur à pied décide de tout : de ses actes comme de ses objectifs. Il est maître à bord de son voyage. Il pilote une troïka composée de son corps, de son âme et de son esprit. Sa volonté est le fouet de cet attelage. Le chemin se plie à ce qu'il décide. La fierté du bon marcheur est de ne pas trop laisser les événements décider de sa course. Il aime à les faire plier au fur et à mesure qu'ils se présentent. Mais pour peu qu'il se constitue chef d'une caravane de chevaux, la distribution des rôles changera ! Subitement il sera appelé à se soumettre. Il deviendra le pion d'une autre volonté. Il devra s'accorder à un rythme nouveau. (Nous parlons ici du caravanier des Temps modernes, pas de celui qui, sur les chemins de la soie, menait des cohortes d'animaux de bât dont beaucoup mouraient, épuisés par les cadences infernales du trafic de damasquins et d'argenterie.)

Au cours de chevauchées récentes, au Turkestan, en Mongolie, j'ai compris que c'est la bête qui commandait. On imagine la mener, elle imprime le tempo. Elle bat la mesure du sabot sur le sol, et la cadence des journées de voyage. Dans la colonne, hommes et bêtes ont chacun leur place mais, pour tous, il n'y a qu'un seul rythme : lent, régulier, inaltérable – le rythme nomade.

Mener son cheval dans les immensités ne se réduit pas à donner de temps à autre un coup de bride à l'encolure ou un coup de talon au ventre. La chevauchée est un mode de vie. Elle demande de savoir trouver l'alpage au terme de l'étape, de détecter le clou qui joue dans la ferrure, de lire dans le crottin les signes avant-coureurs de la maladie, de guetter l'irritation sur le cuir avant que ne se déclenche la gonfle, de repérer le bon alpage qui n'est pas forcément le plus vert, d'abreuver son cheval avant la soif, de servir la ration de l'étalon avant celle des hongres pour ne pas faillir aux préséances naturelles. Ce sont les devoirs que le cavalier doit rendre à sa monture afin que l'harmonie règne et que se maintienne le fragile équilibre. L'entente entre les bêtes est une condition nécessaire mais pas suffisante à la prospérité d'une caravane. La caravane, c'est la paix. Entre les bêtes. Entre les hommes et les bêtes. Entre les hommes.

Le voyage à cheval initie le cavalier à une nouvelle lecture du monde. Il l'aide à se fondre dans l'environnement. L'homme sur un cheval avance sans bruit, débarrassé de ses effluves carnivores. Chevaucher aiguise les sens, renforce l'acuité de l'observation. En surcroît des signes qu'il détecte dans la nature, le cavalier dispose des émotions que manifeste sa monture. Le point de fusion est atteint quand l'homme et sa bête réagissent en même temps à l'adversité, débusquent la bonne pâture ensemble, esquivent le danger ou l'embûche d'un même geste, sans concertation. C'est l'entente ultime, complicité qui permet à chacun de prévenir les humeurs de l'autre. Le cheval devient miroir des émotions du cavalier.

Alors, en selle, sur le dos de sa bête, le cavalier a l'impression de chevaucher la clef de voûte d'un édifice d'équilibre. Une construction contre nature mais qui perdure pourtant depuis qu'un homme s'est mis en tête de se mettre en croupe. Le cavalier qui atteint l'eurythmie navigue sur un *point vélique,* cet axe où les marins situent la convergence des forces de poussée, de tension d'un bateau. Le point d'avancée... La chevauchée devient navigation. Ce qui tombe bien quand on se trouve dans les steppes centrales puisque le tapis des herbes rases ressemble à l'océan, et les yourtes à des archipels d'îlots duveteux.

Dans les steppes de l'Asie centrale ex-soviétique, avec mes trois chevaux ou sur mon étalon des plaines mongoles, j'ai découvert une nouvelle jouissance : regarder sa bête se nourrir. Aucune autre musique n'est douce à l'oreille du cavalier comme la mastication d'un cheval. Elle signifie que les ventres se remplissent de l'herbe qui servira le lendemain à débiter les kilomètres. Certains soirs de famine, dans les franges du Gobi où mes réserves étaient épuisées, je me suis contenté d'écouter ma bête mâcher.

Dans les parages semi-arides où la pâture est rare, ce sont les besoins du cheval qui décideront de l'emplacement du bivouac. Le pâturage commandera la halte. S'il y a *hic et nunc* du fourrage pour la nuit, peu importe que le sol soit inconfortable, l'endroit bruyant et le panorama exécrable. Le cavalier s'arrêtera à l'endroit convenant à sa monture. Et si c'est un lieu qui ne lui sied pas, il se consolera avec l'idée du bien-être de sa bête.

Pour le vagabondage intérieur, la chevauchée est idéale car l'esprit n'a même pas à fournir la concentration qu'exige la marche. Le cavalier n'a qu'à se tenir droit sur sa selle, un œil sur l'horizon et l'autre sur la boussole. Cul sur la selle, pensées au ciel. Le meilleur des modes de vie selon Montaigne…

7

La vision géographique

La géographie a été inventée parce que des hommes à l'esprit curieux voulaient comprendre comment s'ordonnançaient les choses à la surface de la terre. Ils entreprirent donc d'en dessiner le portrait. Mais pour dessiner la terre, il faut l'arpenter, nécessité qui a fait des géographes les premiers voyageurs au long cours. Un jour, dans les âges du commencement, l'homme le plus téméraire de la tribu s'est sans doute mis debout devant le feu, a quitté le halo des flammes et disparu dans la nuit. Sa soif de savoir était plus forte que sa crainte de ne rien connaître. En se lançant dans les ténèbres, il faisait acte de géographe. Peut-être est-il revenu quelques mois plus tard pour raconter et alors, se saisissant d'un bâton, il a tracé les limites du monde qu'il avait vu : première leçon de géographie. Il donnait le coup d'envoi à l'arpentage méticuleux du globe par des générations de géomètres ; des calculateurs antiques qui toisaient le monde avec leur règle graduée, jusqu'aux géodésiens d'aujourd'hui munis de leur théodolite en passant par les maîtres médiévaux tendant sur le sol leurs cordes à douze nœuds. Le pas de l'homme, la foulée du cheval sont les meilleurs instruments pour étalonner l'immensité du monde, ce qui explique qu'un géographe est toujours un voyageur. Il marche pour connaître.

C'est à cause de sa vertu voyageuse que j'ai étudié – superficiellement – la géographie avec l'idée que je choisirai la première occasion pour m'échapper par la fenêtre de l'université, ouverte sur le monde. Depuis lors, ce mot de Morand illustre ma vie : « À seize ans, on m'a offert une bicyclette, on ne m'a jamais revu. »

La géographie, la plus belle des disciplines. Elle se tient au carrefour des connaissances, elle convoque à elle les autres sciences. Elle précipite ce que lui révèle chacune dans son chaudron, mélange les ingrédients et concocte une lecture du monde. Elle demande à l'histoire le nom de l'armée qui a abreuvé la vallée de son sang. Elle demande à la géologie de quelle pierre se nourrissent les murs de l'abbaye construite sur un piton et demande à la géomorphologie d'où vient le piton. Elle demande à la paléoclimatologie depuis quand le vin peut se cultiver sur le coteau, à la palynologie ce qu'on faisait jadis pousser dans les jachères d'aujourd'hui, à la toponymie de révéler ce dont même les plus anciens ne se souviennent plus, à la topographie la raison pour laquelle la ruine d'un donjon féodal se trouve là où elle est. Une fois recueillies les indications, elle livre sa vision, dévoile ce que les forces naturelles ont fait subir au substrat puis ce que l'Homme lui a infligé. Elle offre les clés qui ouvrent le paysage à la compréhension. La géographie, c'est quand la lumière se fait. Un paysage – tout vagabond qui s'est assis devant avec l'âme vide le sait – est une toile euclidienne tendue sur l'horizon et sur laquelle sont compressés et réduits en un seul plan les millions de péripéties qui ont présidé à la transformation du tableau, un empilement de couches d'Histoire, réduites à un instant unique, mais d'une histoire qui se serait passée du déroulé du temps. De même que le disque est une surface plane contenant en puissance une symphonie, le paysage lui est un tableau contenant en puissance la compression imaginaire de siècles de bouleversements. La géographie est cette clé qui permet de dévider le fil du temps réel.

En chemin, plus que la poésie et plus que la prière, la connaissance géographique est précieuse au voyageur pour combattre l'Ennui. Elle lui permet de poser sur toute chose (friche industrielle, cône de déjection, planèze comme matorral) un œil désireux d'en savoir plus que ce qu'il voit. Elle est une précieuse compagne pour l'errant. Comment se morfondre lorsqu'on a en permanence – où que l'on se trouve et quoi que l'on fasse – matière à lire ? Lors de mon voyage à bicyclette autour du monde, je traversais le Sahara occidental en essayant d'identifier les types des formations dunaires appris dans le *Précis de géomorphologie* de Max Derruau. La géomorphologie devint ma discipline préférée. Digne de l'antique, elle décrit les formes du relief, fruit du combat livré pendant des millions d'années par les forces tectoniques, les poussées magmatiques, les assauts de l'érosion. La géomorphologie, chronique des Titans. Le *Précis* de Derruau est le seul guide de voyage à mettre dans son sac au moment de partir. Pour savoir non pas *où* l'on met les pieds mais *sur quoi*. Les autres guides des auberges et des musées se périment d'une année à l'autre. À Bam par exemple, dans le désert d'Iran, où un séisme a rasé la citadelle que les hordes avaient épargnée, il n'est plus besoin d'avoir les horaires. Avec la géomorphologie, pas de risque ; rien ne change trop vite. J'emporte toujours Derruau avec moi. Il y a même un chapitre consacré au relief de la lune, pour préparer l'avenir. Ou pour rêver lorsque ce qui se passe ici-bas fait trop de peine.

Et puis il y a surtout la beauté des termes scientifiques. Rien ne m'enchante davantage que *Cupule de broutage, Yardangs, Solifluxion, Gélifraction*, mots qui invitent au voyage et mettent le feu aux poudres intérieures au même titre que Venise, Tombouctou, Valparaiso. Je ne nie certes pas la puissance mythique des toponymes. Mais je prétends que la musique de la géographie physique est au moins aussi évocatrice. Quand j'entends le mot « Barkhanes », je sors mes bottes de sept lieues. Et que dire de « transgression flandrienne », de *stratoglacier* ou de *dyke* ? J'aime entendre poser des noms de baptême sur les reliefs qui arrêtent mon regard.

Autre joie que la géomorphologie procure au vagabond : la pénétration du relief par l'esprit, la compréhension du secret des formes. Grâce à elle, le voyageur peut choisir parmi deux flancs de vallée, celui qui mènera le mieux au col, deviner sur un glacis pelé quelle éminence recèlera la source où abreuver les bêtes, imaginer déjà avant même d'avoir atteint ses bords à quel endroit guéer une large rivière : revenir en somme à une orientation naturelle où les lignes de force du paysage, les bords de fuite de l'horizon, renseignent autant que la direction marquée par la boussole

L'amoureux de la géographie croit calmer sa fièvre du monde dans la consultation des cartes. Mais qu'il y prenne garde ! Elles sont des sirènes aussi néfastes que celles d'Ulysse. Je me méfie beaucoup de leur contemplation car elles font se lever dans les voiles intérieures un vent d'excitation appelant les grands départs. J'ai passé des heures, penché par-dessus, à tracer des itinéraires mentaux dans le sens latitudinal de la course du soleil ou bien dans le sens longitudinal des migrations animales, et d'autres heures accoudé sur leurs bords, comme par-dessus un parapet, contemplant des planisphères non pas pour en étudier les détails mais pour imaginer les aventures de ceux qui les avaient levés. La carte, dans les âges lointains, a scellé l'antique collaboration entre le voyageur qui ose s'aventurer hors de l'*œkoumène* (héritier en cela de l'homme préhistorique abandonnant le halo du feu) et les savants qui réduisent en dessin les informations rapportées.

Mais, hélas, sitôt levée, la carte précipite la mort du rêve. Chaque parcelle cartographiée est un royaume perdu pour l'imagination. La carte transforme la représentation onirique de l'espace en une image précise. Le mythique Groenland n'est plus sur la feuille au millionième qu'une île aux contours détaillés et les îles Caïman dont le nom semble avoir été inventé par Kipling ne sont plus qu'un émiettement de points trop bien répertoriés sur un fond bleu. Pour se faire pardonner d'avoir asséché le rêve, la carte offre en pâture sur une surface de papier extrêmement réduite une folle concentration de noms merveilleux. Et c'est ainsi que l'on se prend à voyager à la poursuite des vents qu'a réveillés en soi la musique des toponymes.

J'ai vite compris qu'à trop divaguer sur les cartes on risquait la déception. Car le voyageur, une fois l'esprit encombré de mythes, ne partira pas pour découvrir des royaumes inconnus mais pour vérifier si ceux-ci ressemblent à son rêve. Et lorsqu'il parviendra devant la muraille de Samarcande avec le crâne farci de descriptions antiques et la certitude que se dévoileront dans l'horizon des coupoles turquoise et lustrées surnageant comme des îles d'un voile de poussière levé par le pas des caravanes, il se trouvera fort déçu d'avoir à traverser une banlieue industrielle. Neuf ans après l'effondrement de l'URSS, je suis moi-même un jour tombé de mon rêve et la chute sur le pavé du réel fut douloureuse.

C'était à Boukhara. Je nourrissais depuis longtemps le rêve d'y arriver à cheval. Au moment de franchir au pas de ma bête la porte de l'est, je fus arrêté par les miliciens ouzbeks (arrière-petits-enfants des cavaliers de Tamerlan dont ils insultaient la mémoire) qui m'interdirent l'accès et je me souviens d'avoir dû effectuer de savants détours pour y entrer quand même en selle. J'avais péché en voulant me servir d'un décor actuel pour donner corps à un rêve éveillé. Or, l'une des vertus du bon *wanderer* est de ne rien attendre du chemin qu'il emprunte. À chaque pas il cueille les émotions, il se gorge de nouveautés, mais il n'essaie pas de trouver des correspondances entre ce qu'il découvre et ce qu'il espérait trouver. Il se garde bien d'évoquer trop souvent le souvenir de l'ancien temps sachant qu'il n'éprouvera que de la nostalgie à comparer le présent et le passé. Car le monde qu'on a sous les yeux sera toujours moins beau qu'une photo sépia ou que sa description dans une chronique ancienne. Aucun paysage ne peut rivaliser avec les autochromes d'Albert Khan. La vue d'aucune cité d'Orient ne peut peser dans la balance de l'émotion le même poids qu'une description de Marco Polo. Mieux vaut dans ce cas s'interdire, au moment de prendre la route, d'emporter avec soi ce que l'on sait déjà de l'endroit où l'on va. Un esprit vierge est la meilleure longue-vue pour balayer les horizons.

Et pourtant il y a cette mode chez les voyageurs d'aujourd'hui de se lancer sur les traces de leurs prédécesseurs. Il ne se passe pas un jour sans que les membres d'une expédition annoncent qu'ils partent retracer la route d'un pionnier de l'exploration. Les uns voguent dans le sillage de Monfreid ou marchent dans les pas de Burton. Les autres choisissent d'honorer la mémoire d'un peuple et décident de répéter l'itinéraire de la migration des Asiates qui s'en furent en Amérique par le détroit de Béring ; d'autres ressuscitent les gestes des peuples caravaniers et chevauchent sur les routes de la soie, sur la route du thé, des épices, des étoffes. En partant il y a deux ans dans les pas des évadés des goulags sibériens, je suis moi-même coupable d'avoir voulu rebattre des sentiers rabâchés. Il flotte dans l'air ambiant quelque chose qui ressemble à un bégaiement. On veut célébrer les modèles. On ne quitte pas de l'œil les références. On ne va plus de l'avant, on s'en va derrière quelqu'un. C'est le primat de la poupe sur l'étrave. Le vagabond romantique, loup misanthrope, largueur d'amarres, cavalier seul, serait perplexe devant ce phénomène de mode. Il ne comprendrait pas ce mouvement qui pousse les cœurs aventureux à battre au diapason de partitions déjà jouées.

Est-ce parce qu'ils ont trop lu de relations anciennes que les croqueurs d'aventure d'aujourd'hui se répètent ? Ou parce que la terre n'offre plus suffisamment d'espace vierge pour qu'il soit possible de tracer des chemins nouveaux ? L'imagination a-t-elle déserté l'esprit des voyageurs modernes, n'ont-ils plus assez d'inspiration pour inventer des traverses à leurs chemins de vie ? Il n'est certes pas un voyage (hormis peut-être le voyage premier de l'anthropoïde hors de sa savane lorsqu'il est devenu *homme* en se mettant debout) qui ne s'accomplisse sur les traces d'autres hommes. La terre est un palimpseste gratté et retravaillé à chaque génération par le gribouillage du piétinement. Une croûte battue par des milliards de pas et il est difficile de tracer un chemin nouveau dans cet entrelacs. Mais Eirik l'Islandais, Brandan le Celte et Jason l'Argonaute ne suivaient personne quand ils levèrent la voile, pas plus que le jeune Maufray lorsqu'il choisit pour tombeau les nefs forestières de la jungle primaire. Et l'on préférera ces conquérants de l'inutile qui partent à pied, à cheval, en canot, se tailler des empires dans les territoires de leurs rêves aux thuriféraires empressés de servir des messes déjà dites.

Il y a en outre une limite fondamentale à la reconstitution des expéditions du temps passé. Il est bien louable de rejouer les gestes accomplis par passion de l'Histoire. Mais si l'on réussit, au cours de ces expéditions, à reproduire avec assez de bonheur les conditions techniques des voyages anciens (en construisant à l'identique un drakkar, une jonque chinoise, en affrétant un *tarantass* ou en s'interdisant l'emploi d'instruments de navigation modernes), on ne réussira cependant jamais à recréer le climat psychologique de terreur qui présidait aux grands départs. Car les hommes qui partaient jadis sur *la sombre mer* (selon l'expression des Portugais) ou dans les « terres affreusement païennes » (selon celle des Jésuites) ne savaient même pas que la terre était ronde. On allait en voyage comme on va au suicide. Les armateurs offraient d'ailleurs parfois aux bagnards condamnés à la potence le choix entre l'embarquement ou la mort. C'est avec des gibiers d'échafaud qui échappèrent à la corde en s'improvisant matelots que furent peuplés les ponts des frégates anglaises voguant vers l'Australie ou ceux des caravelles de Colomb le Génois. Jusqu'en des siècles récents, nul ne savait trop de la mort ou du retour ce qui constituerait l'issue de son périple. Aujourd'hui, on a compris qu'en continuant à cheminer, droit devant soi, par la grâce de la sphéricité, on reviendra chez soi. Et l'on quitte le port dans une sérénité bien éloignée de la répulsion ancestrale pour tout ce qui se trouvait au-delà de l'horizon.

8

Aux bords de l'humanisme

Jusqu'à un certain jour où le ciel s'embrunit, je voyageais pour rencontrer les Hommes. À ceux qui demandaient une raison à mes brusques départs, je décrivais l'humanisme – cet élan sentimental qui nous porte vers nos semblables – comme présidant à tout élan vagabond. J'ajoutais que c'était pour étancher ma *soif de l'Autre* que je me lançais dans de longues échappées. Mes interlocuteurs se montraient ravis de ces réponses : la référence à l'humanisme est le meilleur moyen d'endormir une conversation. On m'avait enseigné que l'Homme occupait le sommet de la pyramide du Vivant. Mais l'édifice s'est écroulé et je me méfie à présent de lui comme d'une eau claire que les yeux croient bonne et que le gosier découvre salée. J'ai déboulonné l'Homme de mon piédestal intérieur comme on jetait Lénine au bas des socles de marbre dans les Républiques socialistes à l'automne 91.

Je suis sorti des chemins humanistes, à la faveur de rencontres qui me dessillèrent les yeux et me désoperculèrent les oreilles. Lors de mes premiers voyages, je partais admirer le spectacle du monde et le rideau se leva sur l'universelle oppression de la moitié de l'humanité par l'autre.

Le *wanderer* que je suis redeviendra humaniste lorsque cessera la suprématie du mâle. Il souffre à chaque instant de se heurter où qu'il porte ses pas (aux rares exceptions des pays scandinaves, de certaines vallées himalayennes et des jungles primaires) à la toute-puissance de la testostérone. Il lui semble que l'humanité a érigé en divinité le mauvais chromosome. Il entend des cris de joie dans les maisons berbères saluant la naissance d'un garçon et des lamentations si c'est une fille. Il a traversé des villages dans les campagnes de Chine où les mères se pendent si elles enfantent une fille. Il a vu en Inde, où il manque cinquante millions de femmes, le visage des victimes qu'on a tenté de brûler. Il a lu dans le Coran – ce bégaiement paniqué de berger hagard – le mépris ruisselant de stupidité dans lequel est tenue la femme. Il sait qu'en Europe, autour de lui, sous ses yeux, la situation n'est pas plus heureuse. Dans les champs tropicaux qu'il a traversés, il n'a souvent vu que la silhouette des femmes affairées aux moissons pendant que les hommes s'adonnaient à cette occupation qui tient en haleine, chaque jour des milliards d'entre eux : suivre l'ombre d'un arbre au fur et à mesure que le soleil se déplace dans le ciel. Dans des pays de sable et de soleil, il a partagé des dîners à la table du maître de maison pendant que la mère de famille se nourrissait par terre de ce qu'on lui laissait. Il a rencontré des familles composées de petits garçons gras comme des poussahs entourés de fillettes aux côtes saillantes. Il a collecté dans ses carnets de notes quelques proverbes hideux :

Quand la fille naît, même les murs pleurent (Roumanie).

Une fille donne autant de soucis qu'un troupeau de mille bêtes (Tibet).

Instruire une femme, c'est mettre un couteau entre les mains d'un singe (Inde).

La femme est la porte principale de l'enfer (Inde).

La femme que Dieu comble de bonheur est celle qui meurt avant son mari (monde arabe).

Merci, mon Dieu, de ne pas m'avoir fait naître femme (monde juif).

Et c'est ainsi que, malgré lui, il a perdu son humanisme. Il ne comprend pas pourquoi l'humanité se rend coupable d'un *gynocide* permanent (dont les victimes n'ont même pas, elles, le baume du devoir de mémoire) et ne voit pas pourquoi il lui faudrait aimer ou respecter cette humanité-là. Il a été conforté de découvrir un jour que Jack London (un *wanderer* lui aussi, celui du Nouveau Monde !) pensait que « l'homme se distingue des autres animaux surtout en ceci : il est le seul qui maltraite sa femelle, méfait dont ni les loups ni les lâches coyotes ne se rendent coupables, ni même le chien dégénéré par la domestication » (*Les Vagabonds du rail*).

L'homme a été un jour en mesure de tenir un gourdin dans une main et une chevelure dans l'autre. Depuis lors, la moitié des membres de la race humaine opprime l'autre : elle est lourde à porter, pour le *wanderer*, cette découverte-là. Il s'en serait bien passé. En aveugle béat, il aurait préféré garder intact son amour de l'espèce, de lui-même, son humanisme. Il coulerait de meilleures nuits, sans insomnies.

Aussi, depuis qu'il a perdu son humanisme, préfère-t-il vouer sa vie à contempler les pandas roux, ou les salamandres de Bavière. Il lui aura fallu une trentaine d'années pour arriver à une vision du monde bâtie sur l'émerveillement devant les myosotis et la vénération des cicindèles plutôt que sur la promotion de ses pairs ! À présent, il cherche à courir le monde en portant une bannière sur laquelle serait frappé le conseil que le saint Antoine d'Antonio Veira donna aux poissons lors d'un sermon prononcé au Brésil : « Poissons ! Plus vous serez loin des Hommes, mieux cela vaudra ! »

De tous mes voyages sous les latitudes du monde, je rapporte la certitude que le climat le plus difficile à supporter est le climat d'adoration qui nimbe le mâle.

Petit dialogue tenu un jour au Balouchistan avec un musulman buissonneux qui confondait la pilosité et la sagesse et m'interrogeait sur ma famille :

— Tu as des frères ?

— Non, j'ai deux sœurs.

— Ah ? Tu es seul enfant ?

Cette conversation affligeante aurait pu s'être tenue de l'un à l'autre bout des pays de la terre. On a les vengeances qu'on peut : je racontai à ce barbu que j'avais été chassé de chez moi par ma mère (qui faisait des affaires) et mon père (qui gardait la maison), lesquels ne voulaient pas de moi car ils désiraient une fille. Il m'écouta avec beaucoup de gentillesse et de consternation.

Je n'ai donc plus tellement soif de mes semblables et me demande même – avec prudence – si l'humanisme n'est pas un réflexe de défense corporatiste, une sorte de syndicalisme biologique destiné à protéger l'espèce à laquelle on appartient, à défendre ses prérogatives. Nul doute qu'on pratiquerait le léopardisme si on était léopard et l'éléphantisme si on était éléphant. L'amour porté à l'Homme par lui-même (et ses avatars finalistes, anthropocentristes, monothéistes…) ne serait que l'adoration de soi-même dans le miroir de l'autre. Une façon de se masturber en faisant croire à son prochain que c'est lui qu'on caresse. Les humanistes aiment, lorsqu'ils contemplent les yeux de leur prochain, y découvrir que c'est eux qu'on regarde.

Ma réticence tient également au vocabulaire. J'ai le sentiment désagréable que le discours humaniste confond la grandeur de quelques personnages avec la valeur proclamée de l'Homme. Sous le prétexte que, dans la nuit de l'histoire, brillent de rares hommes d'exception (les *figures de proue* de René Grousset), des torchères plantées sur les récifs pour nous guider dans la traversée des âges, le discours conclut que rien sur la terre ne se situe au-dessus de l'Homme. C'est la même confusion qui entraîne à décrire comme *aurifère* une rivière de boue dans laquelle roulent quelques pépites, comme si charrier à dose infime une poignée de paillettes suffisait à sauver un flot de limon sale.

Une fois que l'humanisme a perdu du terrain dans son âme, le vagabond ne se met plus en route sur les chemins du monde dans l'unique souci de rencontrer des hommes. Parfois même il lui arrive de les éviter ostensiblement. Il choisit des régions dépeuplées. Il fait un détour quand il parvient en vue d'une ville ou d'un campement. Il n'a pas besoin de converser : il possède ses poèmes et le chant du monde. Il a d'autres rendez-vous : avec la beauté des forêts, avec le soupir des marais, avec le vol des insectes et le ressac des mers. Et ces rendez-vous-là sont offerts à la solitude, fidèle amante du voyageur à laquelle devrait être donné le nom de Félicité. J'ai découvert (si tard !) combien un homme seul était en bonne compagnie.

Lorsque je longeai les grèves du Baïkal, ma solitude fut un spectre à travers lequel le lac se révéla tout autre que l'année d'après où j'y retournai en joyeuse compagnie. L'errant qui s'en va seul, à travers une géographie hostile – une steppe, une lande, un maquis, un marais –, se repaît d'un monde où les forces vivantes jouent leur partition sans avoir besoin que des yeux les regardent, qu'une plume chante leurs œuvres et surtout (horreur suprême que ce cri de Verhaeren) qu'une main recrée « et les monts et les mers et les plaines d'après une autre volonté ».

Apprendre à rester seul, pour vivre plus densément. Encore faut-il préciser qu'un vagabond romantique solitaire n'est jamais vraiment seul. Il a recours à une présence qui accompagnait les chemineaux au temps où les routes d'Europe étaient couvertes de marcheurs : les fées. Celui qui a fait sien le mot de Novalis invitant à « être perpétuellement en état de poésie » saura reconnaître dans chaque expression de la nature la manifestation de leur existence. Il les traquera là où elles se cachent, c'est-à-dire partout, car le propre et le génie des fées est de prendre corps au moment où on le décide. Au Tibet, à deux jours de marche de la ville de Lhassa, je me suis endormi un matin au bord d'une source claire et je me souviens d'avoir fait un rêve très charmant qui correspondait sans aucun doute au souvenir de la visite faite en moi par la gardienne des lieux.

Dans le Gobi, un peu étourdi par la solitude, j'ai parlé aux buissons ligneux qu'épargnait la dent de mon cheval et ces conversations m'aidèrent à puiser l'énergie pour aller de l'avant. Lorsque je grimpe à un arbre, j'ai conscience de déranger un peuple et je ne cueille plus de champignons sans un léger scrupule : celui de déloger peut-être un occupant qui prenait le frais sous la corolle.

L'exercice permet de réenchanter le monde qui nous entoure : il suffit de savoir le regarder avec de nouveaux yeux, rafraîchis par la certitude shakespearienne qu'« il est plus de merveilles en ce monde que n'en peuvent contenir tous nos rêves », de partir rencontrer les dieux dans sa forêt intérieure, de lâcher les chevaux de son imagination. Antique pratique que cette double lecture du monde consistant à féconder du regard les choses qui reposent sous nos yeux. En s'y exerçant, on fera aisément accoucher de trolls un chaos de rochers et jaillir une chasse de déesses entre deux écharpes de nuages masquant la lune pleine. Une nuit du dernier mois de mars, alors qu'un disque énorme se levait au-dessus de la nappe d'albâtre d'un lac gelé de Sibérie, je crus voir distinctement dans les chaos de glace voguer un vaisseau aux voiles déchirées qui lui-même se glissa dans mon rêve une fois que je regagnai ma tente et n'en fut chassé que par la lumière du jour.

J'ai en projet pour les années à venir un chantier de réhabilitation des fées. Attention !

Pas de méprise ! Il ne s'agira pas de cuisiner, dans la casserole de la mode, l'actuelle bouillie néo-celtique qui n'est rien d'autre que la mise de la féerie au service des marchands. (Trente-cinq années de *celtic revival* en Europe.) Il s'agira plutôt d'une marche solitaire, hivernale, musicienne et littorale, de la Galice espagnole aux Highlands écossais, destinée à sentir peser sur l'épaule le poids de la présence enchanteresse des êtres invisibles, à chanter leur existence oubliée, à apprendre à lire les lignes cachées sous l'apparence du monde et à souligner que l'arc atlantique, cette bande où l'écume rencontre le granit, constitue le séjour privilégié d'un petit peuple ami. Il est temps d'abattre à la hache de la poésie la muraille derrière laquelle pleurent les fées de l'enfance européenne, prisonnières de la *grotte aux hirondelles* qu'avait su retrouver Yourcenar, cette fée immortelle.

9

Sur les vaisseaux de pierre

Comment le vagabond habiterait-il entre les murs d'une ville ? Pourrait-il en supporter les effluves, lui qui ne connaît que le parfum des humus ? Est-il seulement capable de survivre sous la cloche de verre des cités de pierre ? La phalène du bouleau y est bien parvenue. Ce papillon fascina Darwin. Protégé des agresseurs par sa couleur d'écorce claire, il a muté au XIXe, pendant les décennies industrielles, et s'est noirci lorsque les fumées d'usines ont commencé à déposer leur suie sur les arbres. Le vagabond doit s'inspirer de la phalène. Il endossera les habits du citadin, se confondra au peuple des rues mais n'abandonnera jamais ses ailes qui lui permettent de s'échapper de la ville, d'y vivre sans y être. Je connais des *wan-*

derers perpétuels, des phalènes humaines, qui habitent au cœur de Paris, avec l'âme ailleurs. Ils se maintiennent intra-muros en état de poésie, comme s'ils n'avaient jamais quitté la route. Savoir que le calcaire des pierres de Paris est composé de fossiles déposés au tertiaire et que la ville repose par conséquent sur un lit de coquillages est le genre de pensées qui leur vient quand ils arpentent les boulevards.

Un petit nombre d'entre eux a trouvé des chemins de traverse dans la ville – des failles dans la citadelle – où se glisser savamment. Ces chemins mènent au cœur de *jardins féeriques.* C'est ainsi que Rebuffat appelait les flèches granitiques du massif du Mont-Blanc et c'est ce nom que nous donnons à d'autres massifs de pierre, à d'autres forêts de flèches : aux cathédrales gothiques des grandes capitales européennes. Les citadins à qui la modernité a appris à marcher en regardant le sol ne soupçonnent parfois même pas l'existence de ces royaumes. Mais le *wanderer* conserve toujours la tête en l'air au cas où une étoile filante viendrait à passer et il a repéré l'existence des cathédrales. Il sait que ces monstres endormis au cœur des cités, gisants presque oubliés, sont des jungles obscures, mal à leur place, des îles de pierre à explorer, tenant bon au milieu de la houle, battues par la vie hâtive des citadins indifférents.

La nuit venue, quelques héritiers de l'alchimiste Fulcanelli escaladent à mains nues ces jardins de pierre. Ils préfèrent les forêts ogivales des cathédrales aux esplanades percées par les préfets, en place des parvis, pour manœuvrer la troupe. Fulcanelli ne parvenait pas à croire que les cathédrales n'eussent été bâties que pour servir de temple au Dieu chrétien. Il leur accorderait une autre destination, les décrivait comme des athanors géants, hérissés d'antennes (les pilastres), destinés à la transmutation de l'homme. De fait, dans la haute nef gothique enfin inondée de lumière qui ne rentrait qu'à peine sous le lourd arc roman, le fidèle écrasé jusqu'alors par son destin se lève de toute sa taille et s'avance vers le chœur en homme enfin debout. Dans le creuset des cathédrales, lorsque la lune rousse se lève derrière la crénelure d'une frise, le plomb ne se change peut-être pas en or mais la raison capitule bien devant la poésie, ce qui prouve que Fulcanelli avait raison : il y a acte alchimique.

Quiconque aura passé une nuit dans les coursives d'un vaisseau gothique aura été *métamorphosé*.

Il y a plus de quinze ans, j'étais moi-même un escaladeur de cathédrales. Je rejoignais parfois les membres d'un cercle d'acrobates qui me surnommaient *le prince des chats*. À terre, je me trouvais maladroit et indiscipliné. Sur les corniches, je devenais précis et soucieux de ne pas rompre le bel équilibre. Nous avions sur notre carnet de courses interdites des centaines de monuments français et européens. Nous grimpions chaque fois que nous prenait l'envie de nous évader de la ville. La stégophilie (l'amour des toitures) était notre salut, les clochers nos terres d'élection, les flèches nos rampes de lancement.

Péguy nommait les cathédrales des *vaisseaux de charge*. Nous étions les mariniers de ces vaisseaux-là. Nous emportions d'ailleurs ses vers (*Œuvres poétiques*, La Pléiade) pour les réciter, au sommet des tours. Péguy a écrit des ouvrages d'alpinisme gothique, des odes au vertige. On le prend communément pour un chantre des horizons immenses et des plaines à blé sous le prétexte qu'il a sillonné la Beauce (ce plateau *plus ras que la plus rase table*). Il était en réalité plus obsédé par la verticalité que le plus acharné des montagnards. Nous lisions Péguy, juchés sur la matière même de son inspiration, en suspension sur le décor de son œuvre. Sans doute l'aimions-nous pour des raisons qu'il n'eût pas appréciées : pour la scansion chamanique des vers cent fois répétés et non pour la théologie, pour les bâtisses de pierre et non pour ce qu'il y a dedans. Pour les carcasses et non pour la chair.

On commence à pérégriner sur la face des églises parce qu'il n'y a pas de montagnes dans la région parisienne. L'amateur d'alpinisme reclus sur les bords de la Seine peut choisir deux comportements : déplorer que les âges aient déposé au secondaire sur la table calcaire du Bassin parisien un limon sans relief (« à peine un creux du sol, à peine un léger pli », disait Charles P.) ou bien décider que les flèches gothiques qui piquettent l'Île-de-France deviendront ses propres Alpes. Pour notre petit groupe, l'exercice de l'ascension devint assez vite un jeu qui se mua en rituel : nous allions sur les églises avec la même solennité qu'on affiche lorsqu'on y pénètre : nous pratiquions.

Si nous grimpions toujours en silence, au milieu de la nuit et vêtus d'habits sombres, ce n'était pas pour défier l'ordre. C'était même précisément par amour de l'ordre (celui des bâtisseurs). Nous avions compris que les cathédrales étaient des équations. Nous admirions la science architecturale, car elle use des mêmes lois que celles qui régissent la course des planètes. Et nous nous sentions si bien au sommet que souvent, c'était l'aube qui nous en chassait.

Nous avons rendu visite à la suite courtoise qu'églises, basiliques et cathédrales d'Europe dessinent derrière Notre-Dame, voile de pierres blanches traîné dans son sillage. Nous avons escaladé les Notre-Dame du premier cercle, celles qui se disposent autour de Paris et dont les traditions affirment que leur emplacement dessine sur la carte, en miroir, la constellation de la Vierge. Nos tableaux de chasse ressemblaient à ce refrain chanté sous le dauphin de France : « Orléans, Argentan, Notre-Dame de l'Épine… ».

Nous avons collectionné des aventures aériennes. À Chartres, nous avons longuement admiré la petite Vierge, invisible du bas, qui se tient sur la pointe du clocher gothique. Tout comme la sainte Clotilde de Paris, elle surveille l'horizon du haut de sa vergue pour le cas où d'autres dieux arriveraient par le septentrion. Après avoir gravi Reims, Amiens, Senlis et Meaux, nous avons poussé l'exploration jusqu'à Dijon, Strasbourg et même Anvers où l'escalade commencée sur une architecture gothique se termine sur un clocher baroque, car souvent les chantiers couraient d'une époque à l'autre. Au sommet de la flèche du Mont-Saint-Michel, nous avons regardé la neige tomber sur la baie obscure et nous avons pensé qu'il ne fait pas bon être un archange toutes les nuits. Mais une autre fois, au même endroit, très tôt le matin, nous avons vu le jour se lever et la lumière progresser sur la plaine de sable, triomphant de la nuit et rencontrant finalement la ligne des eaux de mer que la marée montante halait vers la côte. À Sées, nous avons commis l'erreur de passer la nuit dans les tours, juste au-dessus des cloches qui sonnaient le quart d'heure. L'espoir toujours vivace que le prochain quart d'heure ne sonnerait pas nous tint en insomnie ! À Saint-Quentin, il ne fut pas possible d'aller bien haut. Mais à Saintes, si. À Rouen, nous fûmes au sommet de la flèche alors qu'un orage sec zébrait le ciel normand de traînées aveuglantes.

Aucune espèce de revendication intellectuelle, rien de situationniste dans l'escalade des cathédrales. Pas de détournement de la ville à des fins artistiques, pas de surréalisme comportemental. Ce qui nous intéressait dans Saint-Germain-des-Prés, c'était de grimper dessus, pas de penser dessous. Tout juste un salut lancé à Dada lorsque nous nous tenions pour rire, en frac de soirée, sur l'arête d'un chien-assis. Un autre à Chaplin quand nous passions, anneaux de corde en main, devant le cadran d'une horloge haut perchée. Nous n'appartenions à aucune ligue (sinon à celle des chats de gouttière qui préfèrent la nuit au jour, le bord de l'abîme au socle des plaines, la corniche à la niche). Nous grimpions parce que c'était beau et plus utile à nos âmes que de reposer nos corps dans un lit.

Lors de l'ascension, il fallait chercher passage de voussure en trumeau, détecter dans la pénombre les lignes de force de l'église (arcs-boutants et contreforts) comme on cherche les lignes de faiblesse (fissures et failles) sur une paroi de granit. Une fois parvenus sous les coursives, nous explorions les charpentes, ces nefs à l'envers qui ressemblent à des bateaux, retournés sur un dernier rivage. Nous longions des corniches pareilles à des zincs où s'accoudaient des gargouilles. Nous avons même vécu là-haut des jours entiers, dormi sous les toitures, dîné dans des nefs, trinqué dans les clochetons et il fallait alors dégriser avant de regagner le trottoir. Certaines fois, juste avant l'aurore, nous avons gravi les tours d'où la ville se dévoile, tapie au pied du bâtiment. Sur la flèche de Notre-Dame, nous avons surplombé Paris éclairé, vide d'âmes. Paris sans *Parisii*. Nous avons embrassé l'extrême pointe de certaines flèches, juste au pied de la croix. Sous l'action du vent, une légère oscillation de l'ensemble donnait l'impression que l'horizon tanguait.

Les aiguilles rocheuses (celles de Rebuffat) procèdent du combat entre la poussée tectonique et la volonté du ciel d'empêcher la terre de se jucher à lui. Mais les antennes des cathédrales, elles, sont l'œuvre de la foi des hommes. Ou de leur vanité. Ou peut-être des deux puisque la foi, c'est la vanité de croire qu'on est la créature d'un dieu. C'est lorsqu'on arrive au sommet d'une flèche qu'on ressent la tension architectonique de la cathédrale. Une église gothique est un accélérateur d'énergie : chaque contrefort de soutien exerce une pression sur les pans de murs, le biseau des paliers. Chaque niveau s'élève en appentis, telles les marches d'un escalier. Plus les murs prennent de la hauteur, plus ils s'écartent les uns des autres : ils voudraient basculer en arrière comme les quartiers d'une orange ouverte mais les arcs-boutants corrigent l'accrétion en les repoussant l'un vers l'autre. Les forces ainsi contrariées sont détournées vers le haut et fusent par les veines de l'édifice (colonnes et voussures) pour se rejoindre au sommet de l'œuvre, jaillissant à la croisée des transepts dans le giclement de la flèche. Une flèche est un geyser de sève minérale. Les moellons de l'édifice entier, parcourus par les flux montants, sonnent comme le cristal si on les frappe de l'ongle : ils sont aussi tendus que les cordes d'une harpe.

Une cathédrale est un instrument de musique. Mais aussi une arme de jet, un arc qui bande sa flèche vers le ciel. C'est parce que l'on n'a pas encore trouvé la cible que les flèches gothiques ne sont toujours pas parties.

Les cathédrales escaladent le ciel. Nous escaladions les cathédrales. Vues d'en haut, elles ressemblaient à la carcasse d'un coléoptère monstrueux pris dans la toile d'araignée de la ville. Péguy, lui – est-il jamais monté au sommet d'une flèche ? – y voyait des *doubles galères*, flanquées de rames (les rangées d'arcs-boutants) et voguant vers les vertus.

Assurer son compagnon de cordée prend du temps. Parfois nous restions de longs moments recroquevillés contre le parapet d'une coursive où bien à cheval sur une faîtière, comme sur une arête de neige, avalant le mou de la corde d'escalade. Alors venaient les questions sur les royaumes que nous visitions. Pourquoi l'Europe s'est-elle soudain couverte d'un manteau de cathédrales ? D'où est venue la subite maîtrise de la technique gothique ? Qui a inventé le principe ogival, permettant de percer les murs de vitraux faisant passage à la lumière ? Qui a présidé au printemps des flèches, ce triomphe du vide sur le plein ? Qui a ouvert la voie, financé l'élan, donné l'impulsion ? Grimper sur le dos d'une cathédrale, c'est s'avancer dans une *terra* encore un peu *incognita*.

Dissimulées sous des corniches ou dans l'obscurité d'un recoin, nous avons souvent débusqué, lors des grimpées sauvages, des décorations de pierre – frises, appliques, et même têtes ouvragées – invisibles du parvis. Elles n'avaient pas été destinées au regard des hommes mais sculptées par un compagnon par amour du geste, ou bien pour Dieu ou en offrande aux fées, ou bien encore pour l'un de ces démons qui cherchent à monnayer leur aide contre une âme. L'anonymat va bien aux cathédrales. Aucune signature de personnage célèbre n'est associée à leur édification. Il n'y a que les pierres qui ont été déposées, pas les noms. Personne à honorer, pas de souvenir à célébrer. On serait incapable de citer dix artisans qui ont élevé Notre-Dame.

Les bâtisseurs accomplissaient leur tâche puis s'en allaient construire ailleurs. Et voilà la raison pour laquelle sont orphelins les monstres de pierre des cités de verre. Nous autres, visiteurs du noir, il nous semblait partir à la rencontre des fantômes de maîtres verriers, tailleurs de pierres, couvreurs, sculpteurs, *ope-*

rarius, architectes. Nous cherchions leurs traces à la croisée des transepts. À la croisée des siècles. Or il nous arriva une nuit de rencontrer des compagnons. Ils avaient réussi ce que nous poursuivions : s'extraire de la marche du monde, contempler le siècle en se tenant loin de sa rumeur, tendre vers l'excellence, côtoyer l'universel en s'adonnant à l'anecdotique, le tout dans la compagnie de la beauté. Une vie de *wanderer* immobile et urbain ! Quand nous les surprîmes quelques heures après minuit, ils travaillaient sous le toit de la cathédrale de Paris. Lorsqu'ils surent que nous étions venus en amants du Grand Œuvre, ils nous firent entrer dans la *forêt.*

C'est ainsi que l'on nomme la charpente de Notre-Dame de Paris. On devrait dire la *jungle* car c'est un enchevêtrement de poutres ajustées les unes aux autres sans rivets, ni chevilles : un mikado de châtaigniers. Ils nous expliquèrent qu'on ne doit pas crucifier la poutre et que l'équilibre des forces, la souplesse des bois et l'intelligence des géométries suffisent à soutenir les deux cent dix tonnes du toit de plomb sans qu'on n'ait besoin de planter un seul clou.

Le sol des charpentes d'église est voûté puisqu'il correspond à l'envers des arcs. À chaque ogive une bosse, entre deux bosses un creux : comme dans un panier d'œufs. Billon, sillon, billon, sillon. Au sommet de chaque clé de voûte, un trou de quelques centimètres de diamètre servait autrefois à faire passer le câble des lustres. Ces orifices inutilisés sont aujourd'hui obstrués par un cylindre de bois. Nous avons souvent débouché ces trous et approché le visage pour sentir pulser l'air chaud de l'église, aspiré par la différence de température entre la nef et la charpente. Odeur mêlée de soutane humide, de chevelure de vieille, de cire, de cierge et d'encens froid : l'haleine de l'église.

Parfois au cours de nos promenades perchées : des frayeurs, des cauchemars. Comme cette nuit de vagabondage solitaire, dans l'enceinte du fort Vauban de Villefranche-de-Conflans atteinte après une courte escalade. Une heure d'exploration de la citadelle pour déboucher sur un chemin d'escarpe, percé de meurtrières que forçaient les traits d'archers de la lune. Sur ma droite : la volée descendante d'un escalier de pierre. Dans le faisceau de ma lampe, une crypte plantée de colonnes. J'inspectai les lieux. Le halo électrique fouillait l'obscurité. Soudain, à quelques dizaines de centimètres de moi, je vis deux vieillardes. Elles avaient les yeux percés et leurs vêtements blancs apparurent couverts de sang. Leurs mains étaient agrippées aux barreaux de la grille d'un cachot. D'épouvante il me sembla vieillir de dix ans. Il me fallut une seconde pour saisir qu'il ne s'agissait que de deux statues de cire. Je sus plus tard qu'elles avaient été installées par l'office du tourisme de la région en mémoire des deux femmes adultères de Villefranche que la bonne société du XVIIe siècle avait mises aux fers dans les oubliettes du fort. Sur le chemin du retour, l'image des deux recluses aux yeux crevés qui avaient tant fait battre mon cœur ne me quitta pas.

À Saint-Merri dans les Halles de Paris, une autre nuit, je sentis à nouveau refluer mon sang. Alors que j'arpentais la charpente, je perçus de faibles cris. On gémissait dans l'obscurité : une voix de vieille ! Ce soir-là je ne me calmais pas. Même après avoir compris que les plaintes venaient du mécanisme mal graissé de l'horloge qui pivotait en grinçant, toutes les minutes.

Mais les rencontres sont parfois heureuses. J'ai surpris des espèces animales qui avaient élu demeure dans les hauts lieux de pierre. Les cathédrales abritent un double bestiaire. L'un, enchanté, composé de griffons, de pélicans, de monstres, de gargouilles et de tarasques suspendus dans le vide. Ces créatures président, placées aux meilleures loges, aux destinées urbaines. Elles sont les vigies des cités, membres d'un peuple qui ne s'anime qu'à la lueur des lampes. Les pierres dorment, les ombres vivent. Mais il y a aussi là-haut des êtres qui n'ont rien de chimérique. Les chouettes (où est passée celle qui nichait dans les croisées de la flèche de Notre-Dame ?), les faucons crécerelles, les loirs, les chauves-souris, les araignées. Je hais ces dernières. Je redoutais de les rencontrer dans les escaliers à vis qui mènent des narthex aux tours. Elles tuent horriblement, ligotent et mordent leur proie, salissant ainsi la paix de l'Église. Il y a aussi les pigeons. Ils empoisonnent les cathédrales. Leurs déjections s'accumulent en strates sous les charpentes et l'acidité de ce *chernozem* attaque la pierre. Le pigeon est vandale et niche dans les trous à boulins des compagnons. Ou dans la spirale d'escaliers à peine assez large pour un curé trop gros. Quand nous les approchions, ils décollaient bruyamment, se cognaient dans nos visages, soulevant des nuages de guano séché. Les squelettes écartelés sur les marches, craquaient quand on posait le pied dessus. On avait peur d'écraser un œuf. On ne va pas dans les églises pour tuer les créatures ! Les animaux des cathédrales nous ont parfois servi de guides.

Une nuit d'hiver à Rouen, alors que nous désespérions de trouver un passage sur l'église de Saint-Maclou autour de laquelle nous avions tourné en vain, un furet nous indiqua la voie en gravissant de quelques bonds un passage masqué, que nous n'aurions jamais détecté.

Il n'y a nulle part de bestiaire sans flore. Pas moins dans les cathédrales qu'ailleurs. À Saint-Sulpice, un arbre a grandi sur l'encorbellement sud du premier parapet. À Saint-Louis-en-l'Île, un buisson a réussi à prospérer à la base de la flèche. Ici et là, des graines apportées par les courants ou dans le tourbillon du vol des pigeons (reconnaissons-leur le mérite de féconder les pierres) sont parvenues à se développer dans la rainure d'une gargouille ou sur le rebord d'une façade, poussées sur une mince couche de terre elle-même déposée grain à grain par des vents très patients. Une promenade attentive dans la ville permet de ne pas désespérer de l'avenir des plantes.

Des signes prouvent qu'elles n'ont pas capitulé devant le goudron. De minuscules tiges en crèvent ici et là la croûte. Certaines germent dans les égouts et montent, rectilignes, à la verticale des plaques de fonte pour chercher la lumière dans le trou de serrure qui laisse passer le jour. D'autres tapissent le fond de minuscules cavités dans les meulières de soutènement des quais (aux Tournelles par exemple). Des lichens rampent sur le calcaire des pierres de taille accélérant l'arénisation de la pierre. Des lierres commencent à cascader des ponts métalliques. Des simples poussent à la base des façades d'immeubles, à l'angle qu'ils dessinent avec les trottoirs comme si elles voulaient les soulever par effet de levier. Et le comble, c'est que personne n'y prend garde. On se fout des herbes folles. Jamais un regard accordé aux frémissements du végétal. Pourtant, on devrait prendre garde.

Ces présences à peine visibles attendent peut-être leur heure. Il est possible qu'elles occupent le terrain avant le grand assaut et qu'un jour elles déchaînent leurs forces pour reconquérir la ville qui les a spoliées du ciel. Le raz-de-marée de sève engloutira alors les habitations. Et le prochain règne sera végétal.

Un détail de la serre tropicale (celle qui fut édifiée en 1837) du jardin des Plantes devrait d'ailleurs avoir depuis longtemps attiré l'attention des autorités. On voit là-bas un bambou qui a fracassé un carreau du plafond de verre et dont le houppier dépasse de la structure de plus d'un mètre, faisant un épi fou sur la surface du dôme transparent. Il préfigure peut-être ce qui attend les mégapoles : la conquête du monde par la chlorophylle.

Dans la nuit des églises, nous aimions chercher les traces de nos prédécesseurs. Nous jouions les archéologues, mais c'étaient les ténèbres que nous fouillions. Les murs des cathédrales servent de livre d'or. Les compagnons, les passants clandestins, les prêtres y ont laissé leur nom (uniquement les noms car on a rarement le temps dans la pierre – même tendre – de noter ses impressions).

De graffiti en graffiti, à la lampe frontale, se remonte l'histoire de France ! Il y a d'abord l'empreinte des compagnons : leur signature est comme la griffe de l'ours, un signe de passage. Ils laissaient un nom symbolique, un chiffre magique ou un idéogramme destiné aux compagnons suivants : alphabet d'initiés. Un maçon dessinait un ciseau, un compas ou une équerre (héraldique artisane dont s'inspireront plus tard d'autres Maçons, plus affranchis). Puis la Révolution française. Chacun revendiquait une identité propre et donc un nom à soi : soudain, on s'aperçut qu'on n'appartenait plus seulement à une confrérie mais qu'on s'appartenait en propre. On grava donc son nom sur les moellons : *Jean*, *Auguste*, *Pierre* dans une tour d'abbaye normande sous les dates de 1795, 1801, 1850. *Antoine*, *Jacques* à Saint-Sulpice dans la tour sud. *Étienne*, 1842, à Saint-Eustache. Le compagnon porteur du fardeau secret laissait place à l'ouvrier qui, lui, porte son nom. La guerre ensuite. Elle a laissé d'autres traces que les cicatrices d'impact sur les murs des boulevards. Des hommes se sont cachés dans les monuments parisiens où ils ont gravé des messages. Dans les triforiums de Saint-Bernard, on lit « Vive De Gaulle », « Vive Pétain », « Jean Moulin : criminel ». Un nom juif est inscrit sur la paroi calcaire d'une grotte désaffectée de Bougival, très loin de l'entrée, et « M.D. télégraphiste – 1943 » dans la tour d'adduction d'un aqueduc des Yvelines. Dans les années soixante, tout devient politique. Le débat s'affiche sur les murs et pas seulement sur les plus accessibles. Dans la tour ouest de Sainte-Clotilde : « Les patrons sont des enculés ! » En être réduit à exprimer sa pensée dans une tour obscure... Viennent 1960 et les années de l'amour libre. Quand on s'aime, on veut que ça se sache. On le dit sur le tronc des arbres ou mieux : sur les murs de l'église, parce que l'on sait qu'une église, ça dure.

Les graffitis d'amour ne sont pas semblables aux inscriptions profondes que les compagnons creusaient avec lenteur. C'est un petit trait faible, éjaculé, un gribouillis. On apprend par exemple que « Nathalie aime Luc », dans les escaliers de Saint-Ambroise. C'est gentil l'amour, ça s'efface, ça ne résiste pas au temps.

Et puis il y a enfin des dessins qu'on ne peut pas dater, ils sont là pour décorer les murs des cathédrales. Je connais une chauve-souris au pochoir sur Notre-Dame, une cornemuse au crayon dans les combles à torchis de Saint-Étienne-du-Mont, un profil hilare sous les ventaux de Sainte-Clotilde.

Nous n'avons pas grimpé qu'en haut des cathédrales. Tout a été bon pour nos ardeurs. Un pont, une église, un immeuble, un bâtiment, un toit.

Nous avons ainsi élaboré une représentation géographique parallèle des villes de France, à un niveau supérieur, superposable aux plans officiels ; une géographie du vide avec son océan de toits – tuiles, ardoises et zinc : variété de la nappe ! – entaillé par des failles (les rues), ses archipels formés par les coupoles, ses pics en forme de clochers qui surnageaient de l'ensemble et constituaient des objectifs pour nos cœurs aventureux : l'essentiel était le voyage vertical. Mais parfois nous avions une cause à servir et au profit de laquelle nous pouvions mettre notre technique. Et si possible une cause perdue. L'amour par exemple…

Mon expérience des escalades urbaines a servi bien des fois l'amour. Notamment lorsqu'il manquait une échelle, dans le jardin plein de lune, pour arriver à Juliette.

> Sur le balcon où tu te penches
> Je veux monter, efforts perdus.
> Il est trop haut et tes mains blanches,
> N'atteignent pas mes bras tendus

déplorait Théophile Gautier qui ne savait pas empoigner les balustrades ni se rétablir sur les aplats. Des amis m'ont souvent demandé d'accrocher des fleurs sur le balcon des filles ou de porter des mots à leur fenêtre. J'ai escaladé un jour de printemps la flèche de Strasbourg pour le compte de l'un d'eux. Je devais fixer au sommet un drap blanc de quinze mètres de long frappé de ce seul nom : *Valérie*. La fille habitait près du parvis. C'était comme piquer d'un billet doux l'épingle de la cathédrale. J'avais réussi le coup, mais l'histoire avait stupidement fini : la fille, prévenue, ne s'était même pas déplacée. Les pompiers avaient décroché la bannière au matin. Les Alsaciennes sont ingrates. Les Parisiennes pas moins. Je l'ai expérimenté.

Un jour que je passai dans la rue Schaeffer, à l'ouest de la butte Chaillot, je croisai une jeune fille qui semblait dans un grand état d'agitation. Elle ne réussissait pas à ouvrir la porte d'entrée d'un immeuble et m'expliqua que l'amie qui l'attendait au quatrième étage restait sourde à ses appels. Je grimpai par la gouttière, frappai au carreau et causai une grande frayeur à la propriétaire qui était à l'intérieur. Elle ouvrit les battants et, sans m'inviter à rentrer, cria la combinaison du code à son amie, referma la fenêtre, tira les rideaux et me laissa en plan, accroché au conduit. L'autre fille rentra dans l'immeuble sans même me jeter un merci. Je glissai en bas de la gouttière et ce fut l'une des plus mélancoliques descentes de ma vie.

J'ai donc appris à apprivoiser les immeubles. L'architecture des constructions haussmanniennes est, entre toutes, la plus propice à l'escalade : la décoration bourgeoise de ces mornes ensembles – balconnets, mascarons, frises – offre des prises précieuses. Pour les autres bâtiments, plus anciens ou plus récents, on trouve presque toujours un moyen de passer : une gouttière, une vanne de fonte pour pompiers et, en désespoir de cause, on peut passer par les toits d'un immeuble voisin.

Dans les récits romantiques français et allemands, les cousettes habitaient sous les toits. La mansarde est une chambre d'amour. Le toit, le chemin qui y mène. Mais, aujourd'hui, ces répartitions ne valent plus rien. Fini le temps où l'on ne trouvait les modistes que sous les combles et les vicomtesses au rez-de-chaussée. Les cartes ont été battues, le château de classes s'est écroulé, tout est mélangé. Le stégophile ne peut plus compter sur la sociotopographie pour tomber sur une colombine perchée sous les combles.

La proportion d'immeubles qu'un escaladeur déterminé peut gravir à Paris est proche de quatre-vingts pour cent. Chaque façade présente une difficulté particulière. Les alpinistes ont mis au point un système de cotation des difficultés selon une échelle comptant neuf degrés. Un pour le plus facile. Neuf pour les parois extrêmes. Si ce système de graduation était appliqué à l'architecture urbaine, il donnerait à l'alpiniste des points de comparaison précieux. Par ordre croissant des difficultés, les ponts du XIXe seraient à classer dans le troisième degré et équivaudraient à une course d'arête très facile, à l'inclinaison faible. Viendraient ensuite les bâtisses haussmanniennes ou les églises romanes qui ne dépassent pas le quatrième degré et s'apparenteraient à des parois aux larges prises. Les cathédrales gothiques seraient à ranger dans le cinquième degré (celui des parois granitiques classiques), plus ou moins ardu selon qu'il s'agisse de gothique balbutiant ou flamboyant. Plus coriaces, les édifices classiques, sulpiciens, ou bien les pâtisseries néo-prussiennes (gare de Metz ou Sacré-Cœur) frôlent le sixième degré sous lequel se rangent beaucoup de falaises calcaires aux prises fines, qui requièrent une gestuelle complexe. Les septième et huitième degrés sont réservés aux tours de verre contemporaines, terrain sur lesquels personne ne s'aventure, hormis un acrobate français, connu sous le nom « l'homme araignée », artiste du vide, qui parcourt le monde de tour de verre en tour de verre.

À la difficulté propre à l'époque s'ajoute le danger de l'escalade sans corde. Mais un messager d'amour trahirait la poésie s'il usait d'un filet. En cas de chute, le grimpeur aura tout juste le temps de se dire qu'« il n'a que ce qu'il mérite », comme le proclamait Philippe Petit quand on lui annonçait qu'un funambule – un de ses frères ! – s'était écrasé.

10

Les forêts du retour

Souvent mes nuits sont plus belles que mes jours. Surtout celles que je passe en bivouac. Une nuit que je dormais sur un banc dans un jardin public de Bavière près de Garmisch-Partenkirchen, un policier qui avait un code pénal dans le cervelet m'intima l'ordre de lever le camp et déclara : « Ce n'est pas joli. » Je ne connaissais alors pas assez l'allemand pour pouvoir lui dire ce que je pensais du bivouac. Je lui aurais dit que je ne savais pas de plus beau cadeau à offrir à son âme que de coucher son corps dehors par une nuit d'été et que, lorsqu'il n'y a plus de cathédrales à explorer ou de ponts à grimper, le *wanderer* aime installer des bivouacs clandestins dans les villes où il séjourne.

Le bivouac est une occasion offerte de faire la paix avec la nuit. Jeter ses hardes sous un pont de pierre ou sous la jupe d'un arbre réconcilie avec le noir. Il y a longtemps que l'Occident a gagné la guerre contre l'obscurité (la civilisation *dissipe les ténèbres*) et que la nuit a payé les frais de la modernité. Elle reste pourtant l'amie du voyageur qui moud les sensations du jour dans le moulin des rêves. Mieux ! Elle est le drap dans lequel il se love, recru de sa journée.

Il n'est point besoin de campagne bocagère pour bivouaquer. La ville offre des replis savants à celui qui sait les débusquer. J'ai niché dans des charpentes d'église (bien veiller à ce que les cloches ne soient pas en activité). J'ai ronflé sur les remparts de Saint-Malo (mais la nuit de l'ivrogne est-elle un vrai bivouac ?). J'ai planté ma tente dans les échauguettes de Carcassonne (dans ce cas, penser à dégager les lieux avant l'ouverture des visites). J'ai suspendu mon hamac aux poutrelles des ponts de Paris (les bateaux-mouches stoppaient leurs machines en dessous pour que les touristes puissent bien voir). J'ai tendu le même hamac entre les platanes d'un square de quartier à

Chartres. J'ai dormi sur des toits haussmanniens (et le corps dans ce cas, habité par une vigilance inconsciente, s'interdit de rouler). J'ai dormi sous un camion qui a démarré en pleine nuit sans que je me réveille. J'ai couché sur la tombe d'un cimetière dans lequel je ne me suis jamais souvenu d'être entré. J'ai grelotté en chien de fusil sur le pavé de cours d'immeuble à Paris, à Athènes. Parfois, à bout de forces ou à court d'idées, j'ai simplement trouvé refuge sur un banc de parc. Ainsi, je me suis rendu compte que les pouvoirs publics avaient travaillé ferme, depuis une quinzaine d'années, à rendre les planches des bancs le plus inconfortable possible au dos des infortunés. Songeons qu'il y a des ingénieurs dont ce fut le souci quotidien ! Sitôt sautés du lit de plume, ils se consacraient à leur objectif : contrer le repos des clodos. C'est que le bivouac dérange l'État car il est une manière de ne jamais être là où celui-ci nous attend.

La paix civile, c'est bien connu, c'est quand chacun dort chez soi. Le meilleur allié du bonnet phrygien, c'est le bonnet de nuit.

À Moscou, une nuit du mois d'août, j'ai bivouaqué involontairement dans la rue, assommé de vodka, le visage contre terre. Au matin, je me réveillai grelottant et m'aperçus qu'on m'avait volé mon pantalon, mes chaussures, mes chaussettes, ma ceinture et ma veste. Ainsi je me trouvai sur le pavé d'une ville inconnue, seul, à moitié nu, incapable de me souvenir de mon adresse. Je tombais amoureux à ce moment de la Russie. Les Russes affichent une grande solidarité avec les ivrognes, presque de l'affection : chacun sait qu'il sera un jour dans la situation d'être secouru. Un balayeur dans une courette me sauva en me cachant dans son manteau. Il m'expliqua que des ivrognes s'endorment chaque hiver dans la rue par une nuit de neige et qu'on les retrouve cinq mois plus tard quand le printemps fait fondre leur linceul. On les compte par centaines en Russie. On les appelle les « perce-neige ».

Je voudrais dire à l'inconnu de La Rochelle qui a peut-être failli mourir d'un arrêt du cœur, l'année dernière, que je regrette ce que j'ai fait. J'avais trouvé refuge cette nuit-là dans un appartement en travaux après avoir erré toute la nuit dans la ville en quête d'un endroit où dormir. Les hôtels étaient fermés, les porches étaient venteux, le sable de la plage trop humide et la cathédrale (où j'aurais immanquablement trouvé des charpentes accueillantes) trop ardue pour que je m'y aventure sans chaussons d'escalade. Une porte était ouverte dans le couloir d'un immeuble. Je m'étais allongé sur le carrelage d'un sol pas trop sale et endormi profondément avec un gros livre sous ma tête (Armel Guerne, *Les Romantiques allemands*, Phébus) et ma veste pour couverture (Arthur & Fox, tweed), persuadé d'avoir le temps de quitter les lieux avant sept heures, le lendemain. La porte s'ouvrit avant que je n'aie eu le temps de me réveiller. Un ouvrier entra. Je restai allongé. Il traversa la pièce, passa à quelques dizaines de centimètres sans me voir et, le dos tourné à moins de deux mètres de moi, entreprit de réparer un évier avec une clé à molette. Pétrifié, je me tins immobile. Puis lentement, mesurant chaque geste, je me redressai. Je fus debout derrière lui, le souffle retenu. J'aurais pu lui toucher le dos en tendant le bras. Je croyais que les battements de mon cœur l'alerteraient de ma présence. On a toujours cette impression stupide que les gens entendent votre cœur... Je glissai vers la porte, très lentement sans bruit. Je posai la main sur la poignée. Le type continuait à fouailler les tuyauteries. J'hésitais à ouvrir la porte : nul doute qu'il m'entendrait et je craignais sa réaction. Il tenait une clé à molette tandis que je n'avais qu'Armel Guerne (992 pages, quand même). Je décidai de le neutraliser par un cri. Je poussai un hurlement terrible, tout en ouvrant violemment la porte, et m'enfuis. J'entendis le fracas de la clé à molette sur la plaque de l'évier. D'épouvante, le type avait dû lâcher ses outils. Il me pardonnera. À deux conditions. Qu'il tombe sur ces lignes. Et qu'il ne soit pas mort de peur.

Le bivouac est une science. La façon dont on prépare sa couche met à nu la personnalité. Le sédentaire, subitement confronté à une situation provisoire de nomadisme révèle, son visage. Chez certains, le bivouac sera ordonné, chez d'autres mal tenu, barricadé ou bien ouvert aux vents, baroque ou austère. Parfois il respirera l'harmonie car beaucoup de voyageurs, une fois l'abri dressé, se réjouiront du règne de l'ordre : le feu entre les pierres, l'eau sur le feu, le feu près de la couche, la couche sous l'arbre, la nuit au-dessus de l'arbre, la lune dans la nuit... L'état de nomadisme est la meilleure expérience qu'on puisse faire de l'équilibre entre les hommes et le monde. Équilibre fragile : le nomadisme est un funambulisme. Et le bivouac est son balancier.

Reflet de l'âme du dormeur, le bivouac ressemble aussi à son époque. Aujourd'hui, les voyageurs bivouaquent comme ils voyagent : efficacement, sans s'embarrasser d'esthétique. Peu leur importe que leur camp fasse tache à la surface du paysage. Dans les siècles où l'on prenait le temps, où les autochtones étaient bons à porter les malles, on emportait avec soi tout ce qui pouvait embellir le bivouac : un gramophone, une table en acajou, une baignoire de cuivre, un service à thé... Il s'agissait de reconstituer des parcelles de civilisation dans les terres sauvages. C'est en vertu du principe de l'élégance victorienne que j'organise des bivouacs soignés dans les endroits les moins adaptés aux conventions. Je passe ainsi en compagnie chaque Saint-Sylvestre dans la grotte d'un chaos de grès enfouie dans un massif de la forêt de Fontainebleau et équipée d'un conduit de cheminée. En habit, couchés sur des couvertures, disant des poésies, éclairés par des cierges, nous buvons de grands vins dans des verres en cristal devant un feu de bois. Le *wanderer* sait que le vrai luxe n'appartient pas à la ville. L'élégance est de se comporter dans la solitude comme en société. Robinson se forçait à dîner chaque soir, face à lui-même, dans son costume à boutons.

Pour un bivouac réussi, le plus important est le choix de l'endroit. Il n'y a que dans les regs uniformes que l'on peut se coucher sans avoir à chercher de terrain favorable, puisque chaque arpent de sol est identique aux autres. Dans le désert de Gobi, ou du Tsaidam, je m'endormais là où je tombais, épuisé. Ailleurs, il faut chercher. Pour peu que l'on considère le sommeil comme une religion dont le bivouac serait le rituel, on comprendra que l'emplacement du campement est sacré. Dans la tradition nomade, on sacrifie d'ailleurs une bête à la divinité locale avant de dresser sa tente. Pour déterminer un lieu propice, les deux principes du *confort* et de la *beauté* doivent être mariés. Si l'on privilégie la beauté, on choisira un point haut d'où la vue portera. Si l'on préfère le confort, on s'abritera dans un repli du sol. Si l'on veut associer les deux, l'idéal sera d'élire une éminence protégée du vent. Pour la beauté, les meilleurs endroits sont les balcons naturels : revers de falaise ou rebords de talus : tout ce qui surplombe le vide. Combien de nuits passées dans les grottes blanches dans les cavités des parois calcaires de Provence ou bien au sommet des cuestas de Bourgogne à contempler les rivières de brouillard allaitées par la lune et combien de nuits sur les vires des Calanques à scruter les orages dignes de l'antique ? Le bivouac est une loge ouverte sur le théâtre du monde.

D'ailleurs, pour parfaire le choix du lieu d'installation, il faut prévoir où se lève le soleil. On prendra ensuite bien soin de se coucher la tête vers le levant afin qu'au réveil la première pensée aille au soleil comme dans les temps où l'on célébrait son retour quotidien. La journée, placée sous les auspices de l'aube, sera ainsi tout entière baignée de lumière. Parfois, hélas, l'aube réserve davantage de déceptions que de promesses. Il m'est ainsi arrivé en Espagne d'installer un campement par une nuit sans lune devant un relief que je croyais grandiose mais qui, aux premiers rayons, se révéla une décharge publique. Cendrars avait raison de dire qu'en voyage « on devrait fermer les yeux ». Une fois trouvé l'emplacement, reste à déterminer s'il faut ou non monter la tente. On s'apercevra vite que *la nuit à la belle étoile* est néfaste. La voûte céleste rend insomniaque : trop de beauté, trop de grandeur pour songer à dormir. Et l'excitation qui gagne lorsque, soudain, l'œil détecte un satellite se frayant passage dans les étoiles ! J'ai trop d'horribles souvenirs d'insomnies sidérales pour me priver de mettre un écran de tissu ou un bardeau d'aiguilles de pins entre mes yeux et les prairies d'étoiles.

Le bivouac offre la même vertu que les veillées d'autrefois : il incite à la conversation. Un feu, une nuit d'encre, les escarbilles mêlées aux étoiles : décor propice aux confidences. N'at-on jamais remarqué que, devant les flammes, les secrets se révèlent, et surgissent les souvenirs ? Le bivouac (pour peu qu'il ne soit pas extrême) exhale une atmosphère mélancolique qui incite à parler, à s'aimer. Beaucoup de gens ignorent qu'ils ont été conçus devant le rougeoiement des tisons, sous la voûte d'un chêne. Ils sont des *enfants de bivouac*. Y a-t-il de meilleures circonstances pour l'amour qu'un campement installé dans une nature puissante ?

La nuit d'amour sous les étoiles est le plus bel hommage qu'on puisse rendre aux présences invisibles peuplant le bord des sources.

Rien de mieux que la branche des arbres pour dormir. C'est la conclusion que je tire de mes nuits nomades. La nuit dans les houppiers pendu à un hamac sera ainsi volée à la pesanteur et à la lourdeur du monde. J'en viens même à me demander, lorsque mon hamac balance à la cime d'un hêtre, bercé par un vent doux, pourquoi l'homme est descendu. Je comprends que les pendus remontent aux branches : autant que le dernier balcon soit le plus beau possible. Les nuits arboricoles ne sont rien à côté des aubes qu'on y vit. Aux premiers rayons, la lumière dégoutte, tamisée par les feuilles. Elles filtrent les flèches de lumière jusqu'au pied du tronc. L'écrivain Marie Mauron, qui connaissait les arbres, appelait « fils de soleil » ces éclaboussures. On ouvre les yeux sans bouger. On découvre les miettes de ciel à travers les haillons du feuillage. Le chant des oiseaux arrive d'*en bas*. On est noyé dans les frondaisons. On flotte dans le houppier comme dans l'œuf. La branche nous déporte du tronc. On est dans l'arbre mais pas contre lui. Les hamacs blancs oscillent comme les oothèques qui décorent de grelots la cime des pins.

Pour réussir sa nuit, il faut choisir son arbre comme son aire quand on dort sur le sol. Il y a le chêne aux branches grosses comme des troncs : difficiles à escalader. Il y a le châtaignier : belles fourches mais souvent trop resserrées. Le bouleau est fragile. Pas question de dormir dans un conifère à cause de la résine. L'idéal, c'est le hêtre. Ses branches sont disposées pour recevoir les hamacs. Son écorce adhère bien. Structure solide et régulière. Houppier fourni. Fait pour ça. Ensuite, une fois pendu, il faut attacher avec mille précautions au moyen de cordelettes ses vêtements, sacs, lunettes, vivres, chaussures, lampes et bidon. Tout le matériel dégouline de l'arbre comme un épiphyte géant. Mais, attention ! Pas un faux geste pendant l'installation ! Pas un mouvement déplacé ! Sinon, la chute. Trente mètres plus bas. Vivre comme un singe, c'est redécouvrir que la pesanteur tue. Nous autres, les Hommes, avons capitulé. Nous avons admis que l'attraction était la plus forte. Nous avons accepté sa supériorité, nous sommes descendus pour nous livrer à elle et, depuis, nous marchons, c'est-à-dire que nous rampons. Les singes, eux, n'ont jamais voulu reconnaître la gravité (de la situation). Ils continuent à vivre entre les nuages et la terre, sur les piliers du ciel qui sont les arbres. En contrepartie, parfois, l'un d'eux tombe à terre et se tue ; il paie ainsi son tribut à la pesanteur, le seul danger des nuits sylvestres.

Se glisser dans un hamac demande la maîtrise d'une gestuelle difficile. Car il faut quitter la branche pour ramper dans un sac en suspension. C'est le chemin inverse du papillon qui, lui, perce sa chrysalide pour prendre son envol. Là, on se contorsionne pour entrer dans son duvet de plume, tel un insecte très sage qui, ayant découvert le monde extérieur, épouvanté, n'aurait plus de cesse que de regagner son enveloppe. Mais couché ne veut pas dire endormi. Il y a des secrets qu'on découvre après plusieurs nuits d'inconfort. Le hamac doit être bien tendu. Se placer en chien de fusil : les membres en appui sur les bords du hamac comme les marins dans leur bannette qui adoptent cette position pour lutter contre le roulis. Appuyer sa tête contre un oreiller (une veste roulée en boule), condition *sine qua non* pour ménager son dos.

Une fois dans le hamac, les yeux fermés, on écoute le murmure de la forêt. Le citadin croit qu'elle s'endort quand tombe le jour. Erreur car, dans la nuit, les bêtes (et parfois quelques hommes) se tuent, s'appellent, se prennent. Les sons montent comme une haleine. Dans les forêts trop proches des villes, la rumeur de la civilisation étouffe la partition. Fontaine-bleau, Rambouillet, Marly, Montmorency : les bois d'Île-de-France résonnent du bourdonnement des autoroutes. Aux environs de Paris, si l'on veut échapper à ce fond de bruit, il faut pousser jusqu'à la forêt d'Orléans. En zone forestière tempérée, les oiseaux rythment comme une horloge le cours des nuits de bivouac. Ils font cadran sonore. Jusqu'au crépuscule ils se taisent puisque l'heure appartient aux chiens et aux loups. Puis, quand la nuit se flanque, les hulottes ouvrent le concert, suivies des chevêches dont les ululements traversent les kilomètres de silence. Ensuite, les gros rapaces : les cris des grands-ducs et des chouettes effraies griffent l'air. À l'aube, pressentant la lumière, les passereaux – mésanges, accenteurs et sitelles – font pleuvoir du haut des houppiers la rosée des pépiements.

Un peu plus tard dans la matinée, pour peu que l'on paresse dans les couverts, on voit s'enfoncer sous les bois les promeneurs, les cavaliers. Ils ne se doutent pas que des regards les scrutent. Pourtant on devrait savoir en pénétrant dans une forêt qu'on y est observé. Quand ce ne sont pas les dormeurs en hamac, ce sont les membres du peuple perché qui épient. Les elfes, goblins, lunanthropes et fées des arbres veillent. Mille paires d'yeux dans chaque houppier ! Les autres présences arboricoles sont constituées par les fantômes de pendus et les spectres de *waldganger*, ces réprouvés qui avaient recours aux forêts quand la société des horizons ouverts ne voulait plus d'eux. En forêt, on devrait toujours lever la tête.

Parfois, il m'a fallu installer mes hamacs dans les arbres non par plaisir, mais par devoir. C'est qu'on prétendait abattre mes portiques ! Il y a, dans chaque région de France, des préfets qui président à la destinée des paysages. Ils ne les contemplent ni ne les parcourent, ils ne les peignent ni ne les cultivent : ils les agencent. Ils sont des *aménageurs*. L'un d'eux, dans un département du Sud-Ouest (le Gers), avait décidé de s'en prendre aux platanes qui bordent les routes au motif qu'ils étaient un danger pour les automobilistes. Chaque année, des conducteurs sortent de la route et fracassent leurs automobiles contre un tronc. Le préfet avait trouvé que les arbres étaient bien impudents de se tenir ainsi sur la trajectoire des gens ! Il avait décidé de dégager la route (ce tapis rouge déroulé devant la bagnole). S'étant couché devant l'auto, il ne pouvait par conséquent aimer les arbres qui, eux, se tiennent debout.

Les platanes condamnés sont en général coupés par les techniciens du département au petit matin (à l'heure des sales besognes). Un jour, prévenus d'un abattage imminent, nous avons installé notre camp, à quinze mètres de haut, dans un platane marqué d'une croix (le baiser de Judas). Les bûcherons ne pouvant bûcheronner appelèrent les gendarmes qui n'ont jamais su grimper aux arbres. L'arbre gagna vingt-quatre heures de répit. Puis tomba quand même. La hache a toujours eu le dernier mot dans l'histoire des hommes. Chateaubriand avait raison : « Les forêts précèdent les peuples et les déserts leur succèdent. » La dame anglaise, elle, avait bien tort qui, à l'Académie des sciences de Londres, supplia Darwin que « cela ne se sache pas » quand il eut expliqué que l'homme descendait du singe. Il est au contraire heureux que nous l'ayons appris. Car nous savons à présent pourquoi nous sommes débiles à la course, maladroits à la nage, inaptes aux longues marches, incapables de sauter, de ramper et de voler. Tous nos malheurs sont nés du fait d'avoir quitté nos arbres. Il est salutaire d'y retourner au moins de temps en temps. Pour retrouver nos racines, il faut remonter dans les branches.

II

Les forêts du recours

J'ai envie de finir en cabane. Mais une cabane de rondins de bois, bien entendu. Je ne quitterai pas cette vie avant d'avoir vécu une expérience qui, à elle seule, comme si elle était un arbre, concentre tous les fruits de la vie vagabonde : la liberté, la solitude, la lenteur, l'émerveillement, la méfiance envers l'humanisme béat... La cabane, c'est le vagabondage moins la géographie. La liberté sans le mouvement, l'épanouissement de l'âme par le retranchement du corps. Se replier dans la forêt (comme on se replie pendant la bataille) est une réponse satisfaisante à la laideur du réel en même temps qu'un retour symbolique sous les frondaisons du monde onirique. N'a-t-on jamais pensé que les orées des forêts étaient de lourdes portes de bois séparant les mondes ouverts (l'*openfield* terrifiant, défriché par la hache du moine pour que l'œil du Prince surveille l'horizon), des mondes enchanteurs ? Les bois : dernier endroit du monde où remontent à la surface de nos âmes perdues les vieilles terreurs et les nouveaux élans.

Pour ma retraite, j'ai déjà choisi les lieux ou plus exactement le milieu naturel : une forêt de conifères aux alentours du cinquantième parallèle de latitude nord, un climat tempéré à hiver froid. Une forêt nourricière et vide d'hommes. J'y passerai un an, peut-être deux. J'emporterai une belle arme de chasse, des tonneaux d'alcool, du papier, et des partitions pour ma flûte en bois et, sitôt passé le seuil, j'aurai la nature inépuisable, comme un océan autour d'un îlot. J'y ferai l'expérience de ce qu'offrent toutes les réclusions : celle du temps enfin arrêté et celle de la solitude dont l'âpreté est plus fertile que les plaisirs de la rencontre.

Une fois la cabane construite, j'équarrirai des planches d'un mètre de long et je les installerai au-dessus de ma couchette et j'écrirai sur la tranche avec de la peinture : PETITE BIBLIO-THÈQUE DU VAGABONDAGE. Seront posés des livres qui chantent la vie errante des baladins occidentaux et le retranchement sous le couvert des bois.

Il y aura Hesse à cause de Knulp qui est ce que le vagabondage peut produire de plus tendre. Il y aura Thoreau à cause de ses années à Walden où il travailla à se *naturaliser* en fortifiant son corps et en se clarifiant l'âme. Il y aura Traven dont les livres pleins de haine sont une chimiothérapie contre le cancer bureaucrate. Il y aura Kerouac qui, sans drogue et alcool, aurait pu s'enivrer. Il y aura le pèlerin russe qui marchait en priant. Il y aura Péguy qui faisait le contraire. Il y aura Tolkien pour ne pas oublier de ne jamais regarder les choses comme on croit qu'elles sont. Il y aura Soseki et son économie de l'âme pour éteindre le feu allumé par Tolkien. Il y aura le *Songe d'une nuit d'été* parce que j'aurai beaucoup aimé que Puck soit mon frère. Il y aura Nietzsche, non pas pour les prêches pleins de fumée mais pour les *Dithyrambes à Dionysos*, ce dieu rapicolant. Il y aura Montaigne pour l'écologie de l'existence et pour la science du repli. Il y aura T.E. Lawrence parce qu'il a soumis son corps à la loi vagabonde. Il y aura Peer Gynt parce qu'il fait semblant de n'avoir besoin de personne bien qu'il souffre d'être seul contre tous. Il y aura Hamsun : c'est agréable de lire un écrivain dont on sent qu'il sait se servir d'une hache autant que d'une plume. Il y aura Jünger à cause du *recours aux forêts* qui semble être la seule chose qui reste à faire quand on a tout essayé.

Dans la réclusion forestière réside peut-être la solution à nos tristesses. La forêt nous tend ses arbres ! Puisqu'on ne peut pas changer le monde et puisqu'on ne doit surtout pas essayer de le faire (Henry Miller : « Le type qui a envie de faire sauter le monde est la contre-partie de l'imbécile qui s'imagine qu'il peut sauver le monde. Le monde n'a besoin ni d'un destructeur ni d'un sauveur. Le monde est, nous sommes »), pourquoi ne pas se carapater dans la beauté des bois ? Les idéologies ont prouvé leur hideur et, plus grave, leur inconsistance, mieux vaut donc essayer de fuir le monde le plus esthétiquement possible. Et seul, si possible, car les communautés des bois, rassemblant autour d'une cause commune et d'un feu de bois quelques amis convaincus, portent en elles leur échec : elles forcent à s'organiser en société et donc à reproduire les maux que leurs membres sont venus fuir. L'enfer, ce n'est pas les autres, c'est l'obligation de vivre avec eux. Le mieux consiste donc à construire un donjon solitaire avec le ciment de son rêve suffisamment solide pour que le ressac du monde extérieur s'y fracasse : édifice qui ressemble à la thébaïde grecque. Mais la limite de la thébaïde est que celui qui s'y retranche ne se consacre qu'aux exercices de l'esprit et laisse sur le seuil sa force vitale : il se replie dans le château de ses pensées. Dans la forêt du dernier recours, en revanche, on rentre avec sa cognée autant qu'avec ses livres sans s'isoler du chant de la nature, sans couper les racines qui relient notre chair à l'humus du monde. Sans renoncer à l'animalité qui est la grandeur de l'homme. Sans laisser s'éteindre notre force vitale (celle qui conduit le meunier hurlant d'Arto Paasilina à pousser des cris dans la forêt lapone).

En Russie, depuis la fin de l'Union soviétique, nombreux sont les candidats à la réclusion buissonnière. Beaucoup de gens là-bas choisissent de tourner le dos à la marche du monde moderne et partent réinvestir des hameaux abandonnés ou même des cabanes isolées, hors du monde. Au cours d'un virage de l'existence, ils tirent leur chapeau à leurs semblables, tournent les talons et prennent la clé des champs, celle des taïgas. Recourir aux forêts, c'est tourner le dos à la laideur moderne. Ils épousent la beauté éternelle, celle qui *sauve le monde* selon Dostoïevski. Elle entre à chaque instant par la fenêtre de leurs cabanes, elle les accompagne dans chacune de leurs tâches. Princes de thébaïdes construites en pins et en bouleaux, ces Russes des taïgas ont tiré le rideau des arbres sur le visage du siècle.

Je suis parti d'Irkoutsk un jour de mars, en joyeuse compagnie, à la recherche des *waldganger* de Russie. Nous voyagions à quatre au guidon de motocyclettes à paniers adjacents (Dieu seul sait pourquoi les Anglais s'évertuent à utiliser le vilain mot de *side-car*), de marque Oural, en plein hiver, sur les glaces du Baïkal. Je rencontrais beaucoup de ces néo-Dersou Ouzala installés sur les rives, passagers du lac. Je faisais une fois de plus une infidélité au principe du déplacement *by fair means*, parce que je voulais étudier les raisons de ces gens et comprendre leur choix. Je ne m'avouais pas que je partais en fait les observer afin de pouvoir mieux les imiter un jour. C'est dans un appartement des quartiers du Progrès d'Irkoutsk que l'idée m'était venue. J'avais rencontré Natascha V. Elle venait rendre visite à ses parents qu'elle n'avait pas vus depuis deux ans. Sur la table : du thé noir, un gros pain carré et un saucisson très gras. Natascha n'y touchait pas. Dans la pièce, la même chaleur insupportable que dans la salle des machines d'un bateau. Un peu impressionné par sa beauté, je lui avais demandé :

— Vous n'habitez pas chez eux, mademoiselle ?

— Non, monsieur, car je vis dans une cabane au milieu de la grande forêt russe.

Elle m'avait mis la puce à l'oreille et jeté sans le savoir sur la piste des coureurs de bois postmodernes. Six mois plus tard, nous cinglions, trois amis et moi, dans l'hiver sibérien vers la cabane de Natascha. L'adresse était la plus belle qu'on puisse donner : cinquante kilomètres au sud du cap Ielochine, rive occidentale du lac Baïkal, à quelques mètres en retrait de la berge sous un grand cèdre. Il ne faisait ce jour-là que huit degrés en dessous de zéro et un beau temps sibérien, sec, avec le soleil tranchant comme une lame. Natascha, en nous accueillant, regarda le thermomètre :

— Huit degrés ! On déjeune dehors !

Foie d'élan, œufs de poissons, pattes d'ours et confitures de myrtilles et surtout de la bonne vodka râpeuse pour dissoudre le goût du gras. À l'ouest, les montagnes de la réserve et les troncs de mélèzes qui strient les versants de millions de pointillés gris. À l'est, le miroir du lac gelé et l'obscure glace vive, presque effrayante. La cabane de rondins était coincée entre ces deux horizons de splendeur et Natascha, radieuse, coupait des tranches de pain en expliquant de quoi elle vivait : de ce que son mari rapportait de la chasse et de ce qu'elle-même cueillait l'été, dans les bois.

— Je vais en ville une fois tous les trois mois pour acheter ce qu'il nous manque.

— Et jamais une nostalgie ?

— Une nostalgie de quoi ?

— De l'ancienne vie : la ville, les autres...

— Jamais. L'autre été, j'étais en train de cueillir des baies à deux kilomètres d'ici sur la berge. J'observais les empreintes d'ours et de renard sur le sol quand, soudain, j'ai vu une empreinte d'être humain. Cela m'a écœurée. Comment pourrais-je revenir en ville ?

Natascha racontait les longues marches vers les sources de la Léna, par-delà les cols dont on distingue les congères, juste sous la ligne du ciel. Un matin d'été, elle se leva pour se baigner dans le lac et compta onze ours sur le talus qui fait face à la cabane. La seule chose qu'elle ne voulut pas dire, c'est comment elle en était arrivée à penser que l'homme est un loup plus dangereux que l'ours.

Nous reprenions la route, c'est-à-dire la glace. Les Russes n'appellent jamais le Baïkal « le lac » mais « la mer ». Les roues patinaient malgré les clous. C'est le vent du nord qui faisait obstacle. Les rafales traînaient dans leur sillage des écheveaux de neige sur la sombre laque. On aurait dit les cheveux du froid, lâchés dans la tempête. Dans la nacelle du side-car, protégés dans des fourrures, nous avions pris soin d'emporter de considérables provisions de vin rouge, des cigares et de la lecture. Le soir, nous faisions halte dans les rares hameaux construits avec les arbres des forêts à l'endroit même où on les avait coupés ou bien nous frappions à la porte des cabanes. Je traquais d'autres Russes, frères d'esprit de Natascha qui, comme elle, avaient fait le choix des forêts. Il y en avait beaucoup. Certes pas assez pour que les statisticiens (engeance russe) puissent prétendre à un phénomène de société. Mais chaque année, dans le pays, depuis l'écroulement du rêve socialiste des centaines de gens partaient dans les bois en chercher un autre.

Le compteur de l'Oural indiquait mille kilomètres depuis Irkoutsk. Nous étions arrivés à la corne nord du lac qui mesure plus de six cents kilomètres de long mais seulement une cinquantaine de large. Le Baïkal, comme le Chili, fait partie de la géographie des étirements. Nous gagnâmes la rive orientale et amorçâmes la descente vers le sud.

Dans un hameau déserté, nous fûmes accueillis par Sergueï. Il restait là, abandonné de tous, en sentinelle peut-être pour le cas où les habitants, partis tenter leur chance à Irkoutsk en 1991, décideraient que la vie est meilleure quand elle est sauvage, et reviendraient. C'était un métis de Russe et de Toungouze. Il avait le crâne en biseau des peuples turco-mongols mais des cheveux roux et des yeux clairs, signe que le gène des colons russes circulait dans son corps puissant. Il peuplait à lui seul un village jadis prospère. Une école, un magasin, des ateliers et même un piédestal – sur lequel on lisait « Lénine a vécu, Lénine vit, Lénine vivra » – se dressaient autrefois sur le vaste replat de la berge colonisée à présent par des bouleaux encore jeunes. L'hiver, il quittait le village oublié et se repliait avec son chien dans une cabane de trappeur de douze mètres carrés, construite en rondins de pins équarris grossièrement et isolés par une bourre de mousse et de lichen. Ses journées étaient occupées à scier, chasser, pêcher, coudre et réparer. Une vie est réussie quand elle n'est faite que de verbes d'action. La cabane de Sergueï ressemblait trait pour trait à celle dans laquelle j'avais passé la nuit quelques années plus tôt, en Yakoutie, sur les rives de la Léna. Son occupant, Victor, m'y avait hébergé en me confiant qu'il ne possédait que trois choses : « une hache pour n'avoir pas froid, un fusil pour n'avoir pas faim et une bible pour n'avoir pas peur ».

Les Oural se comportaient bien. Nous filions le long de la rive est, la moins peuplée du lac. À cause du grand froid et du ronronnement du moteur, je m'enfonçais dans un état de doux abrutissement. Ce sentiment de torpeur est au motocycliste ce que l'hibernation est à l'ours : un nirvana.

Un peu avant le village de Maximika, cachées par le rideau de bouleaux et de pins, se tenaient trois maisons de bois à l'architecture cosaque. Elles étaient l'œuvre de Vladimir Nikolaevitch, descendant des officiers atamans envoyés par Pierre le Grand conquérir les confins de l'empire. Quand ceux-ci décidaient d'établir une garnison à la confluence d'une rivière, ils élevaient une palissade, étêtaient un épicéa pour y faire flotter l'aigle à deux têtes puis bâtissaient dans l'ordre une chapelle à bulbe, un baraquement et un cimetière qu'ils se pressaient de remplir. Vladimir Nikolaevitch, en mémoire de ses ancêtres ukrainiens, avait reproduit à l'identique sur la rive du Baïkal un de ces avant-postes. Il portait deux yeux couleur banquise et une barbe gris acier dans laquelle le froid accrochait des petits cristaux lorsqu'il soufflait en peinant à arracher une souche. Dans le tronc d'un cèdre mort, il avait sculpté un visage à la gouge. Il prétendait que c'était son aïeul ukrainien mais on aurait plutôt cru à un autoportrait. À côté de l'énorme poêle à bois qui chauffait la maison, il avait installé son atelier d'artiste. Quand le temps ne lui permettait pas de débiter des rondins, il peignait des nymphes et des scènes bucoliques d'assez mauvais goût ; mais je ne lui avais pas dit pour ne pas lui faire de peine et parce que je commençais déjà à être un peu saoul à cause de son eau-de-vie artisanale. Par les carreaux de la maison : la nappe des neiges, tendue sur la table du lac. La courbe de la rive se dessinait parfaitement dans le cadre de la fenêtre. C'est toujours dans cet ordre-là que les architectes devraient travailler : chercher d'abord un endroit où poser la fenêtre, construire la cabane ensuite.

Les Russes n'ont pas grand mal à retourner aux forêts pour la raison qu'ils les ont quittées depuis beaucoup moins longtemps que les Européens de l'Ouest. Il y a de la sève dans leur sang et, dans leur histoire commune, une tradition du vagabondage. On colporte dans certains milieux littéraires russes la légende (à laquelle Tolstoï prêtait foi) selon laquelle, après son abdication, le tsar Alexandre aurait pris soin de ne pas mourir (ce qui constitue la version officielle) mais empoigné son bâton de marcheur pour pérégriner incognito à travers la Russie. Et Nikita Khrouchtchev ? Ne clamait-il pas que, s'il était un jour rendu aux extrémités de la misère, il n'hésiterait pas à vivre comme le *wanderer* goethéen, c'est-à-dire en vagabond romantique. Et même le ridicule Stepan Trofimovitch des *Démons* de Dosto menace un jour sa protectrice de quitter la vie de salon pour errer dans les campagnes, enfin libre... Les Russes n'ont pas oublié qu'il y eut Dersou Ouzala avant l'industrie. Il n'y a que quelques décennies que leurs aïeux se sont établis dans les villes. Pas assez de temps pour que les générations d'aujourd'hui aient oublié comment poser un collet. De surcroît – *par sa nature* – comme on disait jadis, lorsque les gens n'avaient pas qu'une fonction, le Russe n'a pas peur de la forêt. Or la première condition pour peupler les cabanes est de laisser sa peur à la lisière du bois comme on tombe les armes en entrant sous la nef.

On objectera que ces retranchés de Russie sont poussés par la nécessité et non par l'élan romantique du *waldganger.* C'est la perspective d'agrémenter le bortsch quotidien de quelques livres de lard d'ours plus que la soif de transcendantalisme qui les amène sous le couvert des frondaisons. On répondra que personne ne peut préjuger la part de poésie qui entre en compte dans le vœu de réclusion. En outre, beaucoup de ceux qui ont recours aux forêts n'ont en réalité jamais vraiment quitté celles qui poussent en eux.

Nouvelle traversée du lac pour regagner la rive occidentale, celle d'Irkoutsk. Les motocyclettes accusaient un léger dérapage permanent. Le panier adjacent qui n'avait pas de roue motrice entretenait un déport vers la gauche. L'alcool aussi. Surtout, ne pas essayer de corriger trop brusquement le mouvement. Sur la glace, on ne conduit pas, on vise, on tient la barre doucement, en imprimant de légères impulsions. On navigue. La côte se rapprochait. Je ressentais une joie de marin. La couche était si transparente que, sur le bord des rives, quand le soleil s'inclinait, on voyait le fond du lac, à trente mètres. Alors, comme un cheval stupide, on avait un mouvement de recul, oubliant l'épaisseur de la glace. L'instinct a horreur des bains forcés.

Encore un *waldganger*. Le dernier rencontré avant le retour à Irkoutsk. Sur le bord d'une vaste esplanade alluviale, aplanie par une rivière, Sacha habitait dans une maison spacieuse. Il contrôlait une vaste réserve de chasse, traquait les braconniers, comptait les ours et surveillait les départs d'incendie.

Sur une planche, à destination de ceux qui seraient passés, et à profusion, car il ne passait jamais personne : kacha, café noir, pain sec, saindoux, vodka et dix poissons fumés aux entrailles de cuivre.

— Vous avez toujours fait ça ?

— La vie dans les forêts ? Pensez-vous ! J'étais colonel de l'armée de l'air autrefois. Je pilotais des Soukhoï. J'ai connu Moscou, Berlin, Budapest !

— Mais alors ?

— Alors, l'URSS s'est écroulée, bradée par Gorbatchev. Et, après cette vie, j'ai eu envie de silence et je suis venu ici et cela fait douze ans que je n'ai pas remis les pieds dans une ville et je ne retournerai jamais dans le monde.

— Et pourquoi vous n'y retournerez jamais ?

— Parce que c'est laid.

À Irkoutsk, nous remisâmes nos vieilles motos au garage et je m'enquis d'un éventuel acheteur. Nous les cédions pour dix mille roubles. Avec un circuit électrique refait à neuf, c'était une paille. Fidèle aux vieux démons, je cherchai une boîte de nuit. Un bon lieu de perdition comme a su en générer la nouvelle Russie avec des sales types à têtes de garçons bouchers enrichis dans les trafics, de la techno bien primitive, de la bière tiède, de la vodka rugueuse comme de la limaille et des filles à gueule de maton, vêtues comme en enfer. Mais les sourires naissent sur leur visage quand on leur dit être français. À cause de l'extraordinaire effort éducatif soviétique qui a porté Dumas et Maupassant au fond des steppes et des taïgas, elles imaginent toutes, les filles d'outre-Oural, que les Français sont des mousquetaires gascons. « Si elles savaient, si elles savaient », que je marmonne sans cesse, les yeux dans mon verre.

Kristina, dix-neuf ans, était trop jolie pour danser avec moi. Elle ressemblait à une madone, mais après la Chute. Elle parlait un peu l'anglais, on se hurla des mots.

— J'aimerais quitter cette ville, avait-elle dit.

— Ah, toi aussi ? Tu veux vivre dans une cabane, répondis-je.

— Pardon ?

— Pourquoi quitter Irkoutsk ?

— Trop sauvage ici ! Je veux de la civilisation ! Paris ! Londres !

— Et le Baïkal ?

— Jamais été !

* * *

Souvent, assis sur la haute branche d'un arbre comme le violoniste errant (et propre à rien) de Joseph von Eichendorff, ou bien foulant un chemin de campagne, je me dis qu'il n'est pas de meilleur endroit qu'une cabane pour finir ses jours. Je m'interroge alors aussitôt sur le prix que nous devrons payer à la planète en la quittant. C'est que j'ai horreur de me sentir débiteur. Puisque nous ne faisons qu'emprunter depuis le premier jour de notre existence, il serait juste de s'acquitter ; pour alléger un peu sa dette. Le vagabond est plus redevable encore que les autres car non content de cueillir les fruits du monde, il a passé sa vie à se gorger de ses beautés. Et, quand vient l'heure de la mort, il devrait se sentir étreint par l'angoisse de l'ardoise. Ma dernière volonté sera d'être enterré sous un arbre que mon corps contribuera à nourrir. Ce sera ma manière de m'absoudre. J'aurai assez dévoré de viande pour donner la mienne, en juste retour, à des asticots. L'incinération serait une inélégance de mauvais payeur. Une grivèlerie.

L'arbre poussera auprès de ma dernière cabane. Mon corps alimentera la sève qui pulsera dans le tronc et peut-être qu'un oiseau posé sur une branche lancera un trille qui guidera un vagabond égaré vers ma cabane.

Il pourra y entrer et s'y installer car, au cours de mes futures années dans les bois, ma porte sera ouverte en permanence à tout le monde à condition bien entendu qu'il ne passe jamais personne.

Paris-Irkoutsk-Saïgon, janvier-mai 2005.

Imprimé en France par

à La Flèche (Sarthe)
en décembre 2013

POCKET – 12, avenue d'Italie – 75627 Paris Cedex 13

N° d'impression : 3002822
Dépôt légal : janvier 2008
Suite du premier tirage : décembre 2013
S16759/11